COME ANALI PERSONE

Tecniche di psicologia comportamentale per riconoscere le personalità, decifrare le micro-espressioni e leggere le persone come un libro aperto

Roberto Morelli

Sommario

Prima di iniziare la lettura, inquadra il seguente QR Code per scaricare un libro **gratuito** intitolato *"I 7 Segreti della Comunicazione Persuasiva"*.

Una breve guida pratica in grado di darti le conoscenze necessarie per migliorare le tue abilità comunicative, perfettamente complementare al libro che stai per leggere.

Scaricarla è semplicissimo: prendi il tuo smartphone e inquadra questo codice QR con la fotocamera.

4

• INTRODUZIONE

Ti sei mai domandato cosa sia la psicologia del comportamento e che genere di condotte si possono identificare anche senza conoscere a fondo una persona?

In questo testo ti porteremo a fare un viaggio per i misteri del comportamento umano tenendo sempre in considerazione ciò che ha studiato e scoperto negli anni la Psicologia, la scienza che si dedica ad indagare le modalità di funzionamento dell'essere umano.

Approfondiremo quindi le origini della psicologia comportamentale e vedremo se e come è possibile analizzare la condotta delle persone. Per fare ciò non potremo di certo lasciare da parte le emozioni che hanno un ruolo fondamentale nella motivazione alla messa in atto dei comportamenti umani. Ci concentreremo poi sulle microespressioni del volto, che sono proprio una manifestazione innata delle emozioni ed entreremo ad analizzare in dettaglio come si comporta il corpo, in modo naturale e spesso automatico, quando mentiamo.

Infine, analizzeremo il costrutto psicologico della personalità e faremo un percorso per capire come è stata concepita negli anni e che strumenti e test sono stati sviluppati per capire che tipo di personalità abbiamo.

Sei pronto a scoprire tutti questi concetti? Allora cosa aspetti? Inizia a leggere!

● 1. LA PSICOLOGIA COMPORTAMENTALE: COSA STA DIETRO AL COMPORTAMENTO UMANO

Attualmente la psicologia include una gran varietà di orientamenti teorici. Proprio come accade nell'ambito delle ideologie politiche o in quelle delle fedi religiose, i paradigmi psicologici hanno presupposti teorici differenti che portano i professionisti a praticare la professione di psicoterapeuti in modi diversi.

La psicologia comportamentale o comportamentismo è uno degli orientamenti più comuni tra gli psicologi, nonostante oggigiorno sia più abituale trovare professionisti che lavorano con presupposti cognitivo-comportamentali. Di seguito analizziamo brevemente la storia della psicologia comportamentale e le sue caratteristiche principali.

Che cos'è la psicologia comportamentale

Il comportamentismo è una corrente della psicologia che si basa sullo studio delle leggi comuni che determinano il comportamento umano ed animale. Originariamente, il comportamentismo tradizionale lasciava da parte ciò che era "intrapsichico" per concentrarsi solo sui comportamenti osservabili, in altre parole aveva una predilezione per l'oggettivo rispetto al soggettivo. Per questo motivo la psicologia comportamentale contrasta con approcci precedenti come quelli della psicoanalisi. Infatti, dalla prospettiva comportamentista ciò che si è soliti considerare "mente" o "vita mentale" è solo un'astrazione di ciò che la psicologia è in grado di studiare: le relazioni tra stimoli e risposte in determinati contesti.

I comportamentisti tendono a concepire ogni essere vivente come una "tabula rasa" la cui condotta è determinata da rinforzi e castighi ricevuti piuttosto che da predisposizioni interne. Il comportamento, pertanto, non dipende principalmente da fenomeni interni (come istinti o pensieri) ma dal contesto e non è possibile separare né il comportamento né l'apprendimento dal contesto in cui avvengono.

Di fatto, i processi che hanno luogo nel sistema nervoso e che per molti altri approcci psicologici sono la causa del perché agiamo in un determinato modo, per i comportamentisti non sono altro che un ulteriore tipo di reazione generata dalla nostra interazione con il contesto.

Il concetto di malattia mentale per la psicologia comportamentista

I comportamentisti sono stati spesso vincolati al mondo della psichiatria per il loro utilizzo del metodo sperimentale per acquisire nuove conoscenze; questa associazione non è del tutto certa dato che in molto aspetti i comportamentisti si distanziano chiaramente dagli psichiatri. Una delle differenze principali è l'opposizione del comportamentismo al concetto di malattia mentale. Secondo questo approccio, infatti, non possono esistere condotte patologiche dato che esse vanno considerate sempre in base alla loro adeguatezza al contesto. Se da un lato le malattie devono avere cause biologiche relativamente ben isolabili e note, i comportamenti segnalano che non ci sono sufficienti prove a favore dell'esistenza di questi biomarcatori nel caso dei disturbi mentali. Di conseguenza, i comportamentisti si oppongono all'idea che il trattamento di problemi come fobie e disturbi ossessivo compulsivi debba basarsi sull'assunzione di psicofarmaci.

Concetti base del comportamentismo

Vediamo di seguito i termini principali della teoria della psicologia comportamentale.

- Stimolo: termine con cui ci si riferisce a qualsiasi segno, informazione o evento che produce una reazione (risposta) in un organismo.
- Risposta: qualsiasi condotta di un organismo che sorge come reazione ad uno stimolo.
- Condizionamento: un tipo di apprendimento derivato dall'associazione tra stimoli e risposte.

- Rinforzo positivo: qualsiasi conseguenza di una condotta che aumenta la probabilità che essa si manifesti nuovamente.
- Castigo: conseguenza di una condotta che diminuisce la probabilità che essa si manifesti un'altra volta.

Wundt: la nascita della Psicologia Sperimentale

Wilhelm Wundt (1832-1920), considerato da molti "il padre della psicologia", fondò le basi di ciò che finì poi per essere il comportamentismo. Creò il primo laboratorio di psicologia scientifica e utilizzò in modo sistematico la statistica ed il metodo sperimentale per estrarre regole generali riguardanti il funzionamento dei processi mentali e la natura della coscienza.

I metodi di Wundt dipendevano in gran misura dall'introspezione o auto-osservazione, una tecnica in cui i soggetti sperimentali fornivano dati riguardanti la loro esperienza.

Watson: la psicologia vista dal comportamentismo

John Broadus Watson (1878-1985) criticò l'utilizzo della metodologia introspettiva di Wundt e dei suoi discepoli. In una conferenza del 1913 che viene considerata il momento della nascita del comportamentismo, Watson affermò che per essere veramente scientifica la Psicologia doveva concentrarsi sulla condotta manifesta invece che sugli stati mentali e su concetti come "coscienza" o "mente" che non potevano essere analizzati in modo scientifico.

Watson rifiutava anche l'idea della concezione dualista che prevedeva una separazione tra corpo e mente (o anima) e credeva che le condotte delle persone e degli animali dovevano essere studiate nello stesso modo dato che, se veniva accantonato il metodo introspettivo, non c'era un'autentica differenza tra esse.

In un famoso e controverso esperimento Watson e la sua aiutante Rosalie Rayner riuscirono a provocare una fobia ai topi e ad un bambino di nove mesi ("il piccolo Albert"). Questo caso dimostrò che la condotta umana non solo è prevedibile ma è anche modificabile.

La scatola nera

Per Watson gli esseri viventi sono come "scatole nere", il cui interno è impossibile da osservare. Quando gli stimoli esterni ci colpiscono rispondiamo di conseguenza. Dal punto di vista dei primi comportamentisti, nonostante esistano e avvengano processi intermedi nell'organismo, dal momento che non sono osservabili, vanno ignorati quando si vuole analizzare il comportamento.

Ad ogni modo, a metà del XX secolo i comportamentisti rividero questa posizione e, senza togliere importanza ai processi non osservabili in modo diretto che avvengono all'interno del corpo, segnalarono che la psicologia non ha bisogno di renderne conto per poter spiegare le logiche che stanno alla base del comportamento. B. F. Skinner, per esempio, si caratterizzò per dare la stessa importanza ai processi mentali che alla condotta osservabile e per concepire il pensiero come comportamento verbale.

Alcuni neocomportamentisti come Clark Hull ed Edward Tolman inclusero processi intermedi (o variabili intervenienti) nei loro modelli. Hull dava importanza all'impulso, motivazione interna o abitudine, mentre Tolman affermava che costruiamo rappresentazioni mentali dello spazio (mappe cognitive).

Watson e il comportamentismo in generale furono influenzati in modo importante da due autori: Ivan Pavlov e Edward Thorndike.

Il condizionamento classico: i cani di Pavlov

Ivan Petrovich Pavlov (1849-1936) era un fisiologo russo che si accorse, mentre realizzava esperimenti sulla secrezione di saliva nei cani, che questi animali salivavano in modo anticipato quando vedevano o annusavano il cibo o anche semplicemente quando gli si avvicinavano gli incaricati che erano soliti dargli da mangiare. Più avanti riuscì a fare in modo che salivassero al sentire il rumore di un metronomo, di una campana o al vedere accendersi una luce perché associavano questi stimoli alla presenza del cibo.

A partire da questi studi Pavlov teorizzò e descrisse il "condizionamento classico", un concetto fondamentale nella psicologia comportamentale, grazie al quale si svilupparono i primi interventi basati sulle tecniche di modificazione del comportamento in esseri umani. Per capire come funziona il condizionamento classico bisogna prima sapere con che stimoli si lavora con esso.

Uno stimolo non condizionato (ossia che non richiede alcun apprendimento per provocare una risposta) provoca una risposta non condizionata. Nel caso dei cani, il cibo causa salivazione in modo spontaneo. Se si accoppia ripetutamente lo stimolo non condizionato (il cibo) a uno stimolo neutro (per esempio il suono di un campanello), lo stimolo neutro finirà per produrre la risposta incondizionata (salivazione) senza che sia necessaria la presenza dello stimolo non condizionato.

Per Pavlov non è necessario scomodare il concetto di mente dato che concettualizza le risposte come riflessi che si manifestano dopo l'apparizione di stimoli esterni.

Gli animali nel comportamentismo

Gli psicologi che si riconoscevano come appartenenti alla corrente della psicologia comportamentale classica utilizzavano spesso animali per i loro studi. Gli animali vengono considerati simili alle persone per quanto riguarda le loro condotte e i principi di apprendimento estratti da questi studi vengono estesi in molti casi agli esseri umani anche se si cerca sempre di rispettare una serie di presupposti epistemologici che giustifichino questo processo. Non bisogna comunque dimenticare che tra le specie esistono vari aspetti del comportamento che variano.

L'osservazione sistematica della condotta animale sarà il primo passo verso l'Etologia e la Psicologia Comparata. Konrad Lorenz e Niki Tinbergen sono due dei rappresentanti più importanti di queste correnti.

Il condizionamento strumentale: i gatti di Thorndike

Edward Lee Thorndike (1874-1949), contemporaneo di Pavlov, realizzò diversi esperimenti con animali per studiare l'apprendimento. Introdusse dei gatti in "scatole-problema" per studiare se riuscivano ad uscire da esse e come.

Nelle scatole inseriva diversi elementi con cui i gatti potevano interagire, come un pulsante o un anello, e solo il contatto con uno di questi oggetti poteva far sì che si aprisse la porta della scatola. All'inizio i gatti riuscivano ad uscire dalla scatola con processi di prova ed errore, poi mano a mano che ripetevano i tentativi, riuscivano ad uscire con sempre maggiore facilità.

A partire da questi studi Thorndike formulò la "Legge dell'effetto", che afferma che se una condotta ha un risultato soddisfacente è più probabile che venga ripetuta, e che se il risultato è insoddisfacente questa probabilità diminuisce. Posteriormente formula la "Legge dell'esercizio" secondo cui gli apprendimenti e abitudini che si ripetono vengono rinforzati e quelli che non vengono ripetuti si indeboliscono. Gli studi e le opere di Thorndike introdussero il concetto di condizionamento strumentale. Secondo tale modello l'apprendimento è conseguenza del rinforzo o dell'indebolimento dell'associazione tra una condotta e le sue conseguenze. Ciò servì come base per formulare nuove proposte successivamente, quando nacque il comportamentismo più puro.

Il comportamentismo radicale di Skinner

Le proposte di Thorndike furono il punto di partenza di ciò che oggi chiamiamo condizionamento operante, ma questo paradigma non venne sviluppato in modo completo fino alla comparsa delle opere di Burrhus Frederic Skinner (1904-1990).

Skinner introdusse i concetti di rinforzo positivo e negativo. Si denomina rinforzo positivo il fatto di premiare una condotta offrendo qualcosa, mentre il rinforzo negativo consiste nel ritiro o l'evitare di un evento sgradevole. In entrambi i casi, l'intenzione è quella di aumentare la frequenza e intensità della comparsa di una condotta determinata.

Skinner difendeva il comportamentismo radicale che crede che tutto il comportamento è il risultato di associazioni apprese tra stimoli e risposte. L'approccio teorico e

15

metodologico sviluppato da Skinner è noto come "analisi sperimentale della condotta".

Sviluppo del comportamentismo: la rivoluzione cognitiva

Il comportamentismo iniziò a tramontare a partire dagli anni '50, mentre contemporaneamente prendeva piede l'approccio della psicologia cognitiva. Il cognitivismo è un modello teorico che nacque come reazione all'enfasi radicale del comportamentismo alla condotta manifesta, lasciando da parte la cognizione. L'inclusione progressiva di variabili intervenienti nei modelli comportamentisti favorì in gran misura questo cambio di paradigma, noto anche come "rivoluzione cognitiva".

Nella pratica psicosociale, i concetti e i principi del comportamentismo e del cognitivismo finirono per confluire in ciò che oggi è nota come la terapia cognitivo-comportamentale, che si centra nella ricerca di programmi di trattamento più supportati da evidenze scientifiche.

Le terapie di terza generazione sviluppate negli ultimi anni recuperano parte dei principi del comportamentismo radicale, riducendo l'influenza del cognitivismo. Alcuni esempi sono quelli della Terapia di Accettazione e dell'Impegno o la Terapia di Attivazione Comportamentale per la depressione.

Punti forti e deboli del comportamentismo

Il comportamentismo si basa su comportamenti osservabili e ciò implica che quando si tratta di quantificare e raccogliere dati per realizzare uno studio con questo approccio non è difficile trovarli.

Inoltre questo approccio è molto utile per cambiare condotte inadeguate o dannose, sia in bambini che in adulti. In questo ambito esistono numerose tecniche terapeutiche efficaci, come l'analisi del comportamento.

Per quanto riguarda i punti deboli secondo molti critici il comportamentismo è un approccio unidimensionale per la comprensione della condotta umana. Secondo essi le teorie del comportamento non prendono in considerazione la volontà, il libero arbitrio né le influenze interne come gli stati d'animo, i pensieri e i sentimenti.

Inoltre, non spiega come avvengono altri tipi di apprendimento che si producono senza necessità di rinforzo e castigo. D'altro canto, le persone e gli animali possono adattare i loro comportamenti quando viene introdotta un'informazione nuova, anche se quello specifico comportamento era stato stabilito attraverso un rinforzo.

La psicologia del comportamento in relazione ad altre prospettive

Uno dei principali benefici del comportamentismo è che ha permesso agli studiosi di analizzare il comportamento osservabile in modo scientifico e sistematico. Nonostante questo, molti esperti affermano che restò troppo limitato riguardo ad alcune influenze importanti nel comportamento. Per Freud, per esempio, il comportamentismo era limitato perché non considerava i pensieri della mente inconscia né i sentimenti e desideri che influenzano le azioni delle persone. Altri pensatori, come Carl Rogers e altri psicologi umanisti come lui, credevano che il comportamentismo era troppo rigido e limitato, dato che non considerava l'importanza delle azioni personali.

3 approcci allo studio della personalità

La psicologia comportamentale non è stata l'unica a cercare di spiegare come mai l'essere umano si comporta in un certo modo, altri approcci teorici hanno provato a teorizzare il concetto di "personalità".

La frase di Burham "tutti sanno cos'è la personalità, ma nessuno può esprimerla con le parole" descrive una delle più grandi difficoltà che si trovano nello studio di questo costrutto psicologico. Se si cerca una definizione scientifica di questo concetto se ne possono trovare praticamente una per autore. Nonostante ciò, possiamo considerare la personalità come un costrutto che include alcuni tratti che mediano nel comportamento delle persone.

Per quanto riguarda lo studio della personalità sono sorti diversi problemi psicologici; i principali hanno riguardato la creazione di strumenti che possano misurarla e un approccio chiaro dal cui partire. Vediamo tre dei principali approcci e modelli che sono stati adottati per studiare questo campo: quello internalista, quello situazionista e quello interazionista.

L'approccio internalista

Questo approccio teorico concepisce le persone come essere attivi determinanti fondamentali della loro condotta manifesta. Le caratteristiche principali da studiare sarebbero quindi le variabili personali del soggetto. Pertanto, in questo modello, ciò che importa è conoscere i tratti di personalità di ognuno.

Si tratta di un modello personalista quindi si deduce che è anche stabile e consistente. Ciò significa che, secondo i sostenitori di questo approccio, la personalità si mantiene lungo il tempo e in diverse situazioni. In questo modo, se si riescono ad isolare i tratti di personalità di un individuo, è possibile prevedere il suo comportamento futuro. A partire da questo approccio sono nati moltissimi test che cercano di misurare la personalità e persino i suoi tratti, come il Big Five Inventory (BFI).

Considerando le evidenze scientifiche attuali, questo modello è oggi considerato un po' antiquato e poco realista. A prima vista è evidente che le persone cambiano i loro comportamenti in base al contesto; non ci comportiamo allo stesso modo quando siamo in famiglia e quando siamo tra amici o sul lavoro. Inoltre, cercare di raggruppare la personalità di un soggetto in un certo numero di fattori stabili che siano predittori della condotta manifesta è davvero complesso. I dati ottenuti dai test di personalità ci mostrano piuttosto l'autoconcetto di un soggetto e non la sua vera personalità.

La personalità è molto complessa e non può essere ridotta all'insieme di certe variabili personali. È necessario realizzare uno studio della personalità più esaustivo per capire davvero a fondo la sua profondità.

L'approccio situazionista

A differenza dell'approccio precedente questo considera la persona come un soggetto passivo e reattivo del contesto in cui si trova. Ciò che aiuta a predire la sua condotta sono variabili situazionali. In questo modello non si dà importanza ai tratti e alle qualità di una persona, è la forza della situazione ad avere il maggior peso.

Questo approccio si basa sul presupposto che tutta la condotta è appresa, per questo devono studiarsi i processi di apprendimento con cui acquisiamo nuovi modi di agire. In questo ambito nasce l'approccio di stimolo-risposta molto tipico del paradigma della psicologia comportamentale visto in precedenza.

Questo approccio è più realista nel considerare l'instabilità e la specificità della personalità, tuttavia cade nell'errore di essere eccessivamente riduttivo: lascia al margine tutte le variabili di personalità dato che ovviamente l'attitudine di un soggetto ha ripercussioni sulla sua condotta. Se così non fosse tutti ci comporteremmo allo stesso modo messi di fronte alla stessa situazione.

L'approccio interazionista

Nel tentativo di unire le due prospettive appena descritte e di risolvere gli errori e i limiti di entrambe, è nato il modello interazionista della personalità. Questo paradigma concepisce la condotta come determinata dall'interazione tra le variabili personali del soggetto e quelle situazionali. Un aspetto importante da tenere in considerazione è che la personalità è il prodotto dell'interazione tra soggetto e contesto.

Questo approccio considera la persona come un soggetto attivo che osserva e costruisce un mondo attraverso la sua propria percezione e forma di agire. L'interazione delle variabili personali con la situazione in cui l'individuo è immerso è ciò che fa scaturire un comportamento oppure un altro. Nonostante ciò, bisogna considerare due aspetti:

- Quando parliamo di variabili personali ci riferiamo ai fattori cognitivi della persona.

- Parlando di situazione facciamo riferimento alla percezione individuale del contesto da parte del soggetto, non a caratteristiche oggettive di esso.

Si tratta quindi di un modello abbastanza esaustivo e che supera i limiti dei due precedenti. Un punto debole dell'approccio interazionista rispetto allo studio della personalità è che mostra una realtà difficile da esplorare e da studiare. Ciò è dovuto al fatto che sostiene che la condotta è il prodotto di fattori cognitivi inaccessibili e di una costruzione del contesto praticamente intransitabile. Nonostante ciò si tratta senza dubbio di un modello interessante sullo studio della personalità.

● 2. COME ANALIZZARE IL COMPORTAMENTO DI UNA PERSONA

Lo studio della personalità va fatto tenendo in conto che la persona si muove in situazioni che a loro volta sono immerse in una determinata società e cultura, quindi è importante studiare e considerare in dettaglio anche la situazione in cui si trova il soggetto.

Come abbiamo già accennato, è noto, nello studio della personalità, che l'analisi delle variabili personali nello studio della condotta dipende dal grado di strutturazione delle situazioni: se esse sono altamente strutturate le possibilità di variazioni individuali sono quasi nulle; tuttavia, man mano che la situazione offre maggiore ambiguità, appaiono manifestazioni comportamentali differenziali tra gli individui che la affrontano.

Determinante esterno: la situazione

I dati di studi recenti permettono di concludere che si deve studiare il processo di interazione come unità di analisi ma senza dimenticare che devono conoscersi le variabili personali e situazionali integrate in tale processo. Sebbene le variabili personali siano state ampiamente studiate ciò non è avvenuto con lo stesso livello di approfondimento per le variabili situazionali. Secondo Magusson esistono tre ragioni che giustificano l'analisi della situazione:

- La condotta ha luogo nelle situazioni, esiste solo in una situazione e non può essere concepita senza di essa.
- La considerazione della situazione nelle teorie contribuirà ad avere modelli più funzionali per spiegare la condotta.
- Una conoscenza più sistematica delle situazioni contribuisce ad avere spiegazioni più effettive in psicologia.

Analisi della situazione

Il mondo esterno può organizzarsi secondo due livelli di ampiezza, macro e micro, in funzione della sua prossimità all'individuo. A sua volta, ci saranno caratteristiche fisiche o oggettive e caratteristiche sociali, psicologiche e soggettive.

- L'ambiente macro-fisico: come le strade, i parchi, gli edifici, ecc.
- L'ambiente micro-fisico: come i mobili o gli oggetti in una stanza.
- L'ambiente macro-sociale: come le leggi, le norme o i valori che sono comuni in una società o in una cultura.
- L'ambiente micro-sociale: come norme, attitudini, abitudini, ecc. del gruppo e delle persone con cui l'individuo interagisce direttamente. In un certo grado è unico per ogni individuo o gruppo.

Un'altra forma di caratterizzare l'analisi del mondo esterno è quella che prevede di calcolare la durata della sua influenza. Endler definisce il contesto (ambiente) come qualcosa di generale e persistente in cui avviene la condotta, mentre che la situazione sarebbe la cornice momentanea e passeggera. Gli stimoli sarebbero elementi dentro la situazione.

Secondo le diverse approssimazioni allo studio della situazione in psicologia la situazione può essere analizzata da tre diverse prospettive diverse:

- **Prospettiva ecologica o ambientale**: analizza i contesti in termini di caratteristiche fisiche in cui ha luogo la condotta, partendo dal presupposto che hanno maggiore influenza sulla condotta rispetto alle caratteristiche della persona. In altre parole, si concentrano sul contesto oggettivo, indipendentemente dai processi psicologici che sentono le persone in esso, dato che l'unità base dello studio sono gli scenari di condotta (contesti che avvengono naturalmente, non creati dallo sperimentatore) che hanno le seguenti proprietà:

  o Includono schemi di condotta fissi esterni agli individui in coordinate spazio-temporali specifiche.
  o Considerano insiemi di elementi dello scenario di carattere non comportamentale (fisici).

25

o Si considera che esiste una interdipendenza tra le caratteristiche fisiche, temporali e geografiche del contesto e gli schemi della propria cultura.

Quindi lo scenario della condotta ha limiti fisici. Il contesto psicologico è una rappresentazione soggettiva della situazione oggettiva che la persona fa in un momento specifico. Il contesto ecologico ha un'esistenza più durevole e oggettiva, indipendentemente dai processi psicologici di una persona specifica.

Lo studio degli scenari di condotta permette di studiare programmi comunitari, in scuole, chiese, ecc. Si tratta di situazioni talmente strutturate che il peso delle variabili personali nella predizione della condotta è minimo.

- **Prospettiva comportamentale**: i contesti si descrivono in termini della struttura (caratteristiche fisiche) e della loro funzione di stimolo (rinforzo, castigo, ecc.). Le persone possono partecipare attivamente nella loro relazione con il contesto, ma ciò non significa che siano agenti autonomi nel controllo dei loro comportamenti.

- **Prospettive sociali**: studiano gli episodi sociali (sequenze di interazione che costituiscono unità naturali di condotta e che si distinguono per avere limiti simbolici, temporali e fisici). Si presta attenzione alla percezione e alla rappresentazione cognitiva delle situazioni.

Queste tre prospettive differiscono in tre aspetti:

→ L'enfasi che viene data alle caratteristiche personali.
→ Il peso dato ad aspetti oggettivi vs. aspetti soggettivi della situazione.
→ La loro considerazione di spazio e tempo.

Le situazioni possono essere analizzate in funzione di come sono percepite ed interpretate, ossia, in funzione del loro valore stimolante. In generale, sono state utilizzate due strategie principali:

1. Giudizi di similarità intersituazionale: in cui si chiede ai soggetti che giudichino la similarità tra le situazioni presentate mediante descrizioni verbali.
2. Analisi dei prototipi: in cui si utilizzano prototipi o esempi ideali di una categoria. Si parte dal presupposto che le situazioni hanno una varietà di attributi che sono percepiti ed interpretati dagli individui, in base a schemi cognitivi di cui già dispongono.

Se viene richiesto ai soggetti di generare prototipi si possono ottenere prototipi consensuali (creando una media delle caratteristiche elencate dai soggetti). Questi prototipi fanno pensare che le persone condividono insiemi di convinzioni sulle caratteristiche di diverse situazioni.

Cantor ha misurato la similitudine dei prototipi, scoprendo che quelli che appartengono ad una stessa categoria hanno più elementi in comune di quelli appartenenti a categorie diverse. Sembra quindi che una parte importante della conoscenza comune delle situazioni sia di natura psicologica (i prototipi offrono all'individuo aspettative sulle condotte più probabili o socialmente appropriate nelle situazioni).

Questo studioso misurò inoltre i tempi che i soggetti impiegavano nel formare l'immagine dopo aver letto lo stimolo e scoprì che le situazioni si immaginano più velocemente. In secondo luogo, si immaginano più velocemente le persone nelle situazioni e infine le sole persone. Ciò fa pensare che esistono differenze riguardo all'accessibilità e ricchezza di queste diverse informazioni.

A partire dai suoi studi si possono analizzare quali condotte anticipano i soggetti come più probabili in una specifica situazione. Di fatto, quanto più una situazione è prototipica maggiore è il consenso riguardo alle condotte che verranno portate a termine in essa.

L'importanza della cultura

La psicologia della personalità si muove per determinati valori sociali e culturali che possono avere conseguenze sulle interpretazioni che facciamo delle condotte. Questi aspetti culturali sono importanti perché determinano molti processi psicologici e hanno conseguenze sulla personalità (e sul concetto che ognuno ha di se stesso).

La cultura include ciò che viene trasmesso di generazione in generazione in una determinata società: procedimenti, abitudini, regole, credenze e valori condivisi che, tra l'altro, hanno ripercussioni sul tipo di informazione che viene considerata importante dagli individui. I soggetti differiscono nella misura in cui adottano o compiono i valori e i comportamenti del gruppo culturale a cui appartengono e in una stessa cultura si possono trovare ulteriori sottoculture.

Il processo attraverso cui viene trasmessa una cultura è l'acculturazione; come risultato di tale processo possiamo interagire con la gente della nostra stessa cultura perché condividiamo lo stesso linguaggio verbale e non verbale.

Le culture si differenziano in aspetti fondamentali come:

- La visione della natura umana come essenzialmente buona, positiva, cattiva o perversa così come in che grado si difende la possibilità di un cambiamento individuale.
- La relazione tra uomo e natura. Nelle società industrializzate, la natura è al servizio dell'uomo mentre nelle popolazioni indigene l'uomo dipende dalla natura, nelle società orientali la tranquillità si raggiunge essendo in armonia con la natura.

- Come viene concepito il tempo. In occidente viene data molta importanza al futuro, nel sud Europa al presente ed in oriente al passato e alla tradizione.
- Le forme abituali di relazioni tra membri. In società individualiste, ci si aspetta di ottenere soddisfazioni personali a partire da relazioni con gli altri, in quelle collettiviste si valorizza l'armonia nelle relazioni e la collaborazione di ogni persona al benessere collettivo.

Inoltre, le culture sono influenzate da variabili ecologiche. Per esempio, culture che abitano in zone molto elevate sul livello del mare vedono ridotte le possibilità di diffusione culturale e di conseguenza la loro cultura è più omogenea.

Dimensioni culturali

Le culture differiscono in complessità e gli indici sono: reddito pro capite, dimensioni delle città, percentuale di popolazione urbana e rurale, computer per persona, ecc. Nelle culture complesse esistono più possibilità di elezione e stili di vita.

Differiscono anche nella rigidità delle regole. Le società isolate tendono ad essere ermetiche (non si lasciano influenzare da società vicine), hanno le idee chiare su quali siano le condotte adeguate e applicano sanzioni alle persone che non rispettano le regole.

Le culture differiscono anche per il loro carattere individualista o collettivista. Quando più è complessa una cultura maggiore è la probabilità che sia individualista: quanto più rigide sono le sue regole maggiore è la probabilità che sia collettivista. In società individualiste le persone sono autonome ed indipendenti dai loro gruppi, danno priorità alle loro mete, viene enfatizzata l'autonomia, in diritto all'intimità, ecc.

In quelle collettiviste viene enfatizzata l'identità collettiva, la dipendenza, la solidarietà del gruppo, la condivisione dei compiti e le decisioni di gruppo. Per definire una cultura come individualista o collettivista bisogna considerare:

- Come viene definito il *self*, che può enfatizzare aspetti personali o collettivi.
- Che obiettivi hanno maggiore priorità, quelle personali o quelle di gruppo.
- Che tipo di relazioni vengono potenziate tra i membri, quelle dell'interscambio o quelle dell'uguaglianza.
- Quali sono le caratteristiche determinanti considerate più importanti per la condotta sociale, le attitudini o le regole.

All'interno del collettivismo e dell'individualismo ci sono molte varietà, la dimensione più studiata è quella orizzontale-verticale delle relazioni, a seconda che venga enfatizzata l'uguaglianza o la gerarchia, rispettivamente.

Analisi comportamentale applicata: definizione, tecniche e utilizzi

L'analisi comportamentale applicata è un procedimento scientifico-pratico che affonda le origini nel comportamentismo radicale di B.F. Skinner, visto in precedenza. Ovviamente è evoluto notevolmente se comparato all'epoca in cui pionieri come Skinner iniziarono a sviluppare il paradigma del condizionamento operante.

Definizione

Il termine "analisi comportamentale applicata" si riferisce ad un tipo di procedimenti che utilizza principi e tecniche della psicologia dell'apprendimento per modificare la condotta di persone che hanno bisogno di aiuto. Nello specifico, l'analisi comportamentale applicata si basa sul paradigma operante skinneriano.

In generale consiste nel sostituire comportamenti inadeguati con altri funzionalmente equivalenti ma più desiderabili. Per fare ciò è necessario portare a termina innanzitutto un'analisi del comportamento, ossia, determinare le contingenze tra la risposta, la motivazione per eseguirla, gli stimoli che la precedono e le conseguenze che la mantengono.

Questa disciplina è stata applicata in modo particolare per favorire l'educazione di bambini in disturbi dello spettro dell'autismo (soprattutto in caso di deficit nell'area del linguaggio), ma si utilizza anche con persone che presentano difficoltà intellettuali o fisiche, con disturbi mentali gravi, dipendenti da sostanze oppure in contesti non clinici né educativi.

Tecniche e metodi utilizzati

L'analisi della condotta applicata, come accade con il condizionamento operante in generale, si basa in gran misura sul concetto di rinforzo che si definisce come il rafforzamento di una risposta determinata nel caso in cui la sua esecuzione comporti conseguenze positive per chi le porta a termine.

In questo contesto sono fondamentali sia il ritiro di rinforzi relativi a comportamenti non desiderati, ossia "estinzioni" ma anche l'applicazione di nuovi rinforzi dopo la realizzazione di comportamenti che si vogliono consolidare. È preferibile che il rinforzo sia immediato ma aldilà di questo la cosa più importante è individualizzarlo.

Un'altra componente chiave dell'analisi comportamentale applicata è l'alto grado di strutturazione dei processi. Ciò permette portare a termine una valutazione sistematica dei progressi nel trattamento o nell'allenamento. Alcune delle tecniche psicologiche più abituali nell'analisi comportamentale applicata sono il modello (apprendimento per osservazione ed imitazione), il modellamento (perfezionamento progressivo di una risposta), la concatenazione (divisione di comportamenti complessi in segmenti) ed il rinforzo differenziale di condotte incompatibili con quelle che si cerca di eliminare.

Applicazioni di questa disciplina

Como abbiamo già accennato i procedimenti più caratteristici di analisi comportamentale applicata sono quelli relazionati ad autismo, sindrome di Asperger e altri disturbi generalizzati dello sviluppo. Gli aspetti chiave di questi disturbi sono i deficit nella comunicazione, nell'interazione sociale e nella varietà del repertorio comportamentale.

In questi casi l'analisi comportamentale applicata ha un'ampia varietà di utilità come lo sviluppo e il perfezionamento del linguaggio parlato o di altri aspetti procedurali, ad esempio è abituale che i bambini con questi disturbi presentino difficoltà ad imparare abilità basilari di cura di sé.

Da un punto di vista clinico l'analisi comportamentale applicata si può applicare praticamente a qualsiasi tipo di problema dato che si tratta di uno schema di intervento molto generale. Nonostante ciò può risultare particolarmente utile per consolidare comportamenti alternativi a quelli che caratterizzano la patologia specifica di un individuo.

Oltre ad educazione e psicologia clinica altri campi in cui si può utilizzare questa tecnica sono la promozione della salute e dell'esercizio fisico, gli interventi medici, la sicurezza sul lavoro, la gestione delle demenze e il trattamento e la cura di animali.

L'Analisi Funzionale della Condotta

Se pensiamo alla pratica clinica degli psicologi e psicoterapeuti ogni professionista ha una diversa modalità per lavorare con i propri pazienti, vediamo che cos'è l'Analisi Funzionale della Condotta e in che situazioni può tornare utile.

Nella pratica clinica si utilizza l'Analisi Funzionale della Condotta per organizzare l'informazione più importante portata dal paziente. È importante sapere come farlo in modo corretto per poi stabilire un intervento efficace senza perdere i dettagli di ogni aspetto rilevante della vita del soggetto.

Quando si utilizza questa metodologia bisogna concentrarsi su diversi punti importanti:

- Le relazioni (funzionali e non funzionali),
- I comportamenti osservati, valutati e descritti (problematici),
- Eventi ambientali, storici e personali del soggetto.

In questo modo è possibile generare una rete di informazioni in diversi ambiti della vita della persona che servirà allo psicologo a capire la possibile origine del comportamento dell'individuo e poter stabilire così il migliore intervento.

A cosa serve?

L'utilità principale dell'Analisi Funzionale della Condotta è la seguente:

- Organizzare l'informazione rilevante del paziente,
- Comprendere i problemi e come interagisce la persona con le sue diverse variabili,
- Identificare le variabili che possono stare avendo conseguenze sui comportamenti della persona,
- Formulare ipotesi di associazione funzionale che possano spiegare l'acquisizione ed il mantenimento della condotta problematica,
- Stabilire obiettivi di intervento,
- Elaborare il trattamento,
- Applicare il trattamento,
- Valutare i risultati.

Cosa si prende in considerazione?

Per capire meglio il comportamento umano e l'analisi funzionale bisogna tenere in considerazione che la condotta umana implica sempre un'interazione con il contesto, con gli altri o con se stessi.

Esistono sempre elementi variabili con cui si forma l'interazione e viene organizzata la sequenza di tale interazione (stimolo antecedente-risposta-stimolo conseguente). Se lo stimolo ha rinforzi gradevoli la condotta verrà ripetuta e se invece sono sgradevoli (castigo) si sviluppa un'avversione per tale condotta.

Inoltre, l'Analisi Funzionale della Condotta aiuta lo psicologo ad avere uno schema con cui organizzare l'informazione. Un elemento che accade o un pensiero può rappresentare un antecedente ad una condotta, sia essa la condotta problematica o quella conseguente, ad esempio il pensiero "non valgo niente". Vanno quindi considerate tutte le possibili variabili che possono influire nella condotta problematica del soggetto.

L'importanza di una buona elaborazione

L'Analisi Funzionale della Condotta è lo strumento fondamentale in qualsiasi terapia psicologica e per questo è importante che il professionista la elabori in modo dettagliato e tenendo in considerazione tutti i piccoli dettagli che possono risultare importanti. In questo modo potrà capire perché una persona mantiene un comportamento problematico sapendo che ha ripercussioni negative e saprà anche aiutarlo a ridurre o cambiare tale comportamento.

Come abbiamo già visto in precedenza la condotta delle persone è strettamente legata al contesto, agli antecedenti e alle conseguenze e ciò aiuta a capire gli aspetti del contesto che funzionano da determinanti. Solo in questo modo si potrà valutare un intervento adeguato.

Le sfide

L'applicazione dell'analisi funzionale della condotta presenta diverse sfide che ogni terapeuta conosce.

Scegliere la migliore strategia

La cosa più importante è scegliere la migliore strategia di valutazione per ogni cliente, dato che ogni soggetto è un mondo e nulla può essere generalizzato. È necessario quindi scegliere i metodi di valutazione che sappiano identificare le virtù, le limitazioni e i problemi di ogni caso specifico. Inoltre, è importante saper scegliere adeguatamente gli obiettivi terapeutici su cui lavorare durante il trattamento.

Bisogni diversi

Un'altra sfida frequente per i professionisti riguarda i diversi problemi e comportamenti che possono presentare i vari clienti. Un soggetto può essere depresso e avere una dipendenza all'alcool e avere obiettivi e quindi di un trattamento diverso da un'altra persona che presenta gli stessi problemi. La scelta del trattamento dipende dall'importanza che viene data ad ogni problema e ai bisogni di ogni cliente. Vanno poi tenuti in considerazione i gradi di sofferenza e quanto il resto degli ambiti vitali del soggetto sono compromessi e come siano le sue interazioni con il contesto.

L'affidabilità dei dati

La validità delle valutazioni che esprime un professionista dipende anche dai dati ottenuti nella valutazione clinica e dell'Analisi Funzionale della Condotta. Quando esistono dati poco validi o strategie poco strutturate la validità del caso diminuisce e così anche l'effettività dell'intervento. In questo senso è importante che il professionista utilizzi strumenti psicometrici adeguati ed idonei per ogni caso.

Relazioni causali

Un'altra sfida importante riguarda l'identificazione delle relazioni causali dei problemi dato che la condotta può essere scatenata da diverse cause e che una stessa causa può avere ripercussioni su diversi problemi, in modo diretto o indiretto. Le variabili e le relazioni causali sono importanti per formulare il caso e l'intervento terapeutico.

Le persone si definiscono per i loro comportamenti e non per le loro parole

È probabile che sia successo a chiunque di sorprendersi e addirittura restare deluso dai comportamenti altrui. Ciò può comportare una frattura in un rapporto, possiamo sentirci delusi e può trattarsi di un duro colpo da incassare.

Quando ciò succede può anche capitare che sia difficile spiegare e definire il motivo o le cause per cui ciò che qualcuno ha detto o fatto ci ha colpito così tanto; il fatto è che sorge la sensazione che abbiano cercato di mascherare le loro vere intenzioni attraverso le parole.

In questo senso la maggior parte delle persone tendiamo ad essere abbastanza incoerenti dato che siamo soliti promettere cose che non crediamo davvero o che non possiamo garantire. Può anche succedere che non ci accorgiamo di tali incongruenze e ci ritroviamo ad esporre ciò che consideriamo socialmente accettabile senza fermarci a pensare se ci crediamo davvero.

Comunque sia, possiamo dire ciò che vogliamo ma tenendo in considerazione ciò che sentiamo e se davvero potremo compiere la promessa detta a parole. È importante cercare di trovare una via di mezzo e sforzarsi ad essere il più integri e coerenti possibile facendo in modo di non ferire gli altri e neppure la nostra autenticità.

A volte ci impegniamo a farci un'idea degli altri, ma bisogna tenere in conto che nessuno ha solo una maniera di essere e di comportarsi in ogni contesto e dipende anche dalla situazione in cui si trova e dal ruolo che ricopre.

Cadiamo spesso nell'errore di essere troppo rigidi quando valutiamo gli altri e per questo ci ritroviamo a restare delusi. Ad ogni modo, sarebbe opportuno analizzare noi stessi e renderci conto che anche noi commettiamo sbagli e che non sono né meno gravi di quelli altrui e spesso neppure passeggeri.

La soluzione sta nello svincolarci da aspettative che comportano che ci frustriamo aspettando dagli altri comportamenti che spesso non arrivano, di fatto è probabile che non siano neanche consapevoli di cosa aspettarci dato che crediamo che tutti si comporterebbero come faremmo noi.

Aggrapparsi alle aspettative di come dovrebbero comportarsi gli altri è un atto involontario che però può portare a sofferenza e delusione dato che quando ciò che vedremo fare non sarà ciò che avevamo previsto resteremo delusi. Nonostante ciò dobbiamo essere coscienti che in realtà non è stata l'altra persona ad aver sbagliano, piuttosto la nostra credenza ad essere eccessivamente rigida.

Non è facile essere coerenti nei propri atti perché può darsi che la volontà prevalga sulle emozioni, è una possibilità da tenere presente quindi è importante impegnarsi per gestire le proprie emozioni in modo che non prevalgano nei momenti meno opportuni.

Quindi non solo non possiamo definirci esclusivamente per ciò che diciamo, neanche i nostri comportamenti hanno l'ultima parola. È importante valutare ogni situazione in modo globale e cercare di non restare delusi dagli altri o da noi stessi. Il contesto gioca un ruolo fondamentale nella maggior parte delle occasioni; per valutare un comportamento è necessario tenere in considerazione il contesto in cui tale condotta si è sviluppata.

Quindi, in ultima analisi, spesso non siamo nemmeno ciò che facciamo. A volte ci lasciamo trascinare dalle circostanze esterne e interne inadeguate e ci trasformiamo in una sorta di barca senza timone spinta dal vento e dalle onde, persi.

Non dobbiamo castigarci né sentirci colpevoli in modo eccessivo ma dovremmo evitare di raccontarci scuse e costruire castelli in aria, una cosa è avere chiaro che errare è umano, un'altra cosa è ingannare consapevolmente.

5 trucchi per analizzare le persone

Tutto il mondo parla una lingua primitiva che è il linguaggio corporale, silenzioso e per certi aspetti universale. Di certo l'interpretazione del linguaggio non verbale non è una scienza esatta ma va considerato piuttosto come una scienza interpretativa che raggruppa diverse altre scienze. Vediamo insieme 5 trucchi per capire meglio le persone e consigli per imparare ad allenare la sensibilità ad interpretare il linguaggio non verbale.

1. La coscienza situazionale

Osservare coscientemente e con attenzione è essenziale per capire il linguaggio corporale. Avere anche coscienza del contesto è indispensabile per riconoscere dove ci si trova in ogni momento prestando attenzione ad ogni elemento e/o persona che si muove intorno a noi. Bisogna quindi cambiare atteggiamento e non più "vedere" ma imparare a "guardare".

Un buon esercizio per imparare a farlo potrebbe essere quello di sedersi in un bar e osservare per soli 8 secondi tutti i dettagli di ciò che accade intorno. Poi, con gli occhi chiusi, cercare di descrivere tutti i dettagli che ci circondano e concludere l'allenamento aprendo gli occhi e rivedere se quanto appena descritto corrisponde alla realtà.

2. Contesto e linea base

Le persone hanno uno schema comportamentale base, può trattarsi del modo in cui camminano, della loro capacità di mantenere lo sguardo di un interlocutore più o meno a lungo, della tendenza di incrociare le braccia, ecc. Un cambiamento in questa "linea base", sempre tenendo in considerazione il contesto, può essere un indicatore di ciò che sta accadendo nella mente di una persona.

Un buon esercizio potrebbe essere allenarsi a chiacchierare con le persone facendo attenzione agli schemi base di comportamento non verbale di ognuno. Notare se si trova a suo agio o meno, come muove le mani o le diverse parti del viso e farsi un'idea della sua postura generale. Di seguito bisogna decodificare il contesto in cui si trova quella persona e riflettere sul fatto che il non verbale sia coerente con quella situazione.

3. Cambiamenti della linea base

Impara ad avere coscienza situazione delle inconsistenze tra la "linea base" di una persona, le sue parole ed i suoi gesti. I cambiamenti di comportamento possono indicare cambiamenti anche in pensiero, emozioni, interessi ed intenzioni.

Ogni volta che osservi palesi cambiamenti della linea base di comportamento di una persona domandati come mai. È importante non interpretare un singolo gesto fuori dal contesto ma abituarsi l'insieme per ottenere un'analisi globale per poter capire che cosa sta succedendo. Osserva inoltre quando diversi gesti e schemi di condotta si uniscono.

4. La verità della menzogna

Uno dei presupposti da avere ben chiari è che chiunque si creda perennemente sincero e sostiene di non aver mai detto una bugia sta mentendo. Mentire è sano e persino necessario in alcune occasioni. Persino gli animali mentono per istinto di sopravvivenza e anche noi siamo animali moderni e abbiamo imparato a gestire le bugie per poter vivere la nostra vita al meglio.

Ricorda inoltre che quando vieni accusato di mentire e invece sei stato sincero la prima reazione emotiva che senti e mostri è la rabbia. Pertanto, tieni presente che quando sospetti che qualcuno stia mentendo e gli fai credere di stare credendo alla sua versione dei fatti questa persona potrebbe dimostrare paura e restare silenzioso, questo è un indizio che potrebbe stare nascondendo qualcosa.

Tieni inoltre presente che la nostra mente ragiona molto più velocemente del tempo che impieghiamo a parlare. Partendo da questo principio, se una persona impiega un po' di tempo a rispondere, può essere un indizio di menzogna e che stia ricreando e costruendo la risposta da fornire.

Imparare a leggere le persone e il contesto in cui si muovono, interagiscono e comunicano è una vera e propria arte che bisogna allenare quotidianamente prima di sentirla propria e affidabile. Non si tratta quindi di leggere le menti ma di affinare in modo fluido tutto il linguaggio non verbale di ogni persona.

3. COME DECIFRARE LE VERE EMOZIONI DELL'INTERLOCUTORE

Cosa sono le emozioni: tipi, esempi e come possono aiutarci

Le emozioni sono risposte o reazioni fisiologiche generate dal nostro corpo di fronte a cambiamenti che si verificano nel nostro ambiente o in noi stessi. Questi cambiamenti si basano su esperienze che a loro volta dipendono da percezioni, attitudini, credenze sul mondo che utilizziamo per percepire e valutare una situazione specifica. In base a questo e alle nostre credenze reagiamo in un modo o in un altro di fronte a situazioni simili. La risposta emozionale è composta da stimoli rapidi ed impulsivi che valutano ciò che sta accadendo e ci informano di che significato ha per noi.

Per riassumere possiamo dire che le emozioni sono risposte che il nostro corpo produce di fronte a situazioni che accadono attorno a noi, possono essere tra gli altri o degli altri verso di noi o di noi con noi stessi. Queste emozioni sono informazione su come dobbiamo agire di fronte a ciò che ci accade per dare al nostro corpo ciò che ritiene necessario. Quanto più le conosciamo migliore sarà la nostra Intelligenza Emozionale e più avremo una vita salutare perché sapremo fornirci ciò di cui abbiamo bisogno in ogni momento. Identificarle correttamente ci rende inoltre più facile il compito di trasmettere un'educazione emozionale ai bambini per aiutarli a crescere con autostima e credendo in se stessi.

A cosa servono le emozioni

Le emozioni sono portatrici di informazione e ci dicono ciò di cui abbiamo bisogno quando ci troviamo di fronte a situazioni diverse che accadono nella nostra vita. Le emozioni di solito sono più autentiche dei pensieri quindi quando ci troviamo a pensare una cosa ma ne sentiamo un'altra conviene seguire ciò che ci sta dicendo il corpo.

Come possono esserci d'aiuto le emozioni

Le emozioni possono aiutarci in diversi aspetti:

- A conoscerci meglio: quanto più conosciamo le risposte del nostro corpo relative alle emozioni tanto più sapremo che emozione stiamo provando e che cosa ci vuole dire. All'inizio può risultare difficile identificarle ma con tempo, sforzo ed esercizi come il diario emozionale, non faremo fatica a riconoscerle e sentirle.
- Sapere ciò di cui abbiamo bisogno: a volte reagiamo con un'emozione specifica ed altre volte con altre ma ciò che è importante è sapere identificare il significato di queste emozioni, cosa vogliono dirci e che bisogno c'è dietro.
- Gestirle e sapere ciò di cui abbiamo bisogno: una volta identificata un'emozione dobbiamo solo fare, dire o

pensare ciò che ci richiede, per gestire questa emozione e ottenere ciò che ci sta esigendo.

- Le emozioni ci aiutano anche a scoprire ricordi ancorati ad un sentimento che magari continua a farci stare male.

- La conoscenza ed il controllo delle emozioni aumenta la nostra autostima.

- Le emozioni ci aiutano a capire se le cose che facciamo quotidianamente ci piacciono davvero, ad esempio se il lavoro che svolgiamo ci fa sentire realizzati o se lo facciamo solo per obbligo e routine.

- In definitiva, le emozioni ci aiutano ad essere più felici con noi stessi e con chi ci sta intorno.

Tipi di emozioni

Quando parliamo di tipologie di emozioni facciamo due classificazioni, una generica in cui distinguiamo emozioni "primarie" e "secondarie" e poi le primarie le distinguiamo ulteriormente in "salutari" e "non salutari". Alcuni studiosi distinguono le emozioni positive da quelle negative ma si possono etichettare piuttosto come gradevoli e sgradevoli dato che in ogni caso forniscono informazioni utili per conoscerci meglio.

Emozioni primarie

Si tratta delle emozioni basilari, quelle che definiscono ciò che sentiamo davvero, a fondo. Quando sento che sono triste e non c'è alcuna altra emozione dietro allora si tratta di un'emozione primaria ma, a volte, può esserci qualcos'altro dietro e possiamo non esserne coscienti, qui entrano in gioco le emozioni secondarie.

Emozioni salutari e non salutari
Nella categoria delle emozioni primaria possiamo differenziare emozioni salutari o "adattative" ed emozioni non salutari o "disadattive". Le prime sono risposte generate dal corpo quando ci si trova in situazioni che stanno accadendo nel qui ed ora e che richiedono di andare incontro ad un bisogno e, pertanto, è bene ascoltarle e soddisfarle, se possibile.

Quando ci rendiamo conto di stare provando emozioni salutari i messaggi o bisogni che cercano di comunicare sono i seguenti:

- La rabbia ci dice che sono stati superati i limiti o che non stiamo ricevendo ciò di cui abbiamo davvero bisogno.
- La tristezza ci indica che abbiamo perso qualcosa di importante o che la nostra richiesta di amore e di affetto non è soddisfatta.
- La paura ci dice che siamo in pericolo o che non siamo al sicuro.
- La sorpresa che esiste qualcosa di nuovo e che vale la pena indagare.

- Il disgusto comunica che stiamo sperimentando qualcosa di cattivo.
- L'allegria che abbiamo raggiunto un obiettivo o che è accaduto qualcosa che rappresenta un beneficio per noi.

Queste emozioni adattative che portano con sé questo genere di informazioni servono per gestire la situazione e poter soddisfare i bisogni.

- La rabbia ci invita a stabilire i nostri limiti.
- La tristezza ci porta a piangere o a cercare riparo.
- La paura a fuggire o attaccare.
- La sorpresa a indagare su ciò che di nuovo è appena accaduto.
- Il disgusto ad espellere e allontanare qualcosa.
- L'allegria a godere di ciò che è accaduto.

Le **emozioni disadattive** sono una risposta al malessere cronico che magari è bloccato da anni, sono emozioni primarie che non sono state gestite in modo salutare e sono rimaste latenti. A volte sorgono senza che sappiamo con precisione perché; per questo queste emozioni non sono salutari dato che sono risposte a fatti accaduti nel passato e non a qualcosa che sta accadendo nel qui ed ora. Questo genere di emozioni va gestito in modo diverso: vanno accettate, capite e infine cambiate.

Emozioni secondarie

Le emozioni secondarie sono difensive e nascondono i nostri sentimenti primari e autentici. A seconda dell'emozione in gioco può risultare più difficile riconoscerla come secondaria dato che a volte l'emozione autentica si nasconde in profondità. In alcune occasioni le emozioni secondarie nascondono quelle primarie per "proteggerci" da esse a causa delle nostre credenze limitanti.

Emozioni basilari innate

Quando parliamo di emozioni sappiamo che ne esistono svariate e che le possiamo provare a seconda delle situazioni. È interessante sapere che secondo diversi studi sono 6 le emozioni definibili come basiche, ossia emozioni che prova chiunque solo per il fatto di essere un essere umano.

Paul Ekman fu uno psicologo che trascorse gran parte della sua vita studiando queste emozioni e le espressioni facciali che suscitano. Ekman localizzò alcune tribù che non erano mai entrate in contatto con le società per come le conosciamo oggigiorno e che erano quindi rimaste isolate da possibili fattori che avrebbero potuto creare altre emozioni che non gli appartenevano naturalmente. Questo psicologo concluse che esistono 6 emozioni basiche che corrispondono ad espressioni biologiche universali della specie umana: rabbia, tristezza, paura, sorpresa, disgusto e allegria. Vediamo di seguito le tre emozioni che di solito sono più interessanti: tristezza, paura e rabbia.

La tristezza

Si tratta di un'emozione che compare in diverse circostanze: a causa di distanziamento, separazione o perdita di un legame. Quando sentiamo che siamo messi contro un angolo, che non apparteniamo ad un gruppo o ci sentiamo dimenticati. Appare quando non siamo capaci di esprimere o di comunicare i nostri sentimenti più autentici. Può sorgere anche di fronte a tradimenti, al sentirci delusi o al perdere la speranza, quando falliamo cercando di raggiungere un obiettivo importante e quando perdiamo autostima. La tristezza compare anche quando perdiamo a una persona cara.

Questa emozione ci spinge a cercare gli altri per trovare consolazione oppure a rintanarci nella solitudine per riprenderci dalla perdita. Si tratta di un'emozione primaria e salutare, è utile e può aiutarci ad affrontare il dolore, attraversare il lutto e superarlo. Quando non è salutare parliamo di una tristezza che ha bisogno di essere affrontata per poterci sentire meglio con noi stessi. Quando questa emozione è secondaria c'è il rischio di sviluppare una depressione.

La paura

Si tratta di una sensazione di angoscia che si genera di fronte alla percezione di una minaccia. Questa emozione dipende dalla nostra esperienza e dalle risorse e strumenti che abbiamo a disposizione per valutare se tale situazione è una minaccia oppure no.

La paura, nella sua forma più basica, ha a che fare con l'esistenza e può coniugarsi in due modi: paura della vita e paura della morte. Come emozione primaria e salutare la paura è orientata a farci allontanare e fuggire dal pericolo, quando compare come emozione secondaria può riguardare una paura connessa alle relazioni e alla paura di ferirle.

La rabbia

Ciò che la scatena è la sensazione di sentirsi minacciati (per questo tale emozione è spesso legata a quella della paura) a livello fisico o nella nostra autostima e amor proprio, nei nostri limiti o sentirsi frustrato nel tentativo di raggiungere un certo obiettivo. Questa emozione attiva due tipi di risposta: fuga o lotta.

Quando è primaria e adattiva bisogna ascoltare l'emozione e capire cosa vuole dirci per agire di conseguenza e con assertività. Se non è salutare (rabbia cronica) l'obiettivo deve essere quello di capire lo schema emozionale disadattivo ed identificare il bisogno che sta dietro. Quando è secondaria di solito è accompagnata da emozioni come paura e tristezza che si manifestano attraverso la rabbia stessa.

Allegria vs Felicità

Spesso le persone parlano di allegria e di felicità riferendosi a due concetti diversi, possiamo definirle così:

- L'allegria è qualcosa che viene generato da uno stimolo piacevole più o meno puntuale e definito nel tempo, può quindi durare qualche ora ma è specifico in senso temporale.
- La felicità è uno stato d'animo persistente nel tempo, è una conseguenza dello sviluppo vitale e di come ciò ci fa sentire al momento di valutare come stiamo gestendo la nostra vita.

Differenza tra sensazione, emozione e sentimento

Tutti e tre sono schemi di risposta emozionale che il nostro corpo genera, tutti e tre portano con sé informazioni per soddisfare i nostri bisogni. In altre parole, che si tratti di sensazione, emozione o sentimento, ci riferiamo a reazioni prodotte dal corpo e con cui esso ci informa di ciò che le diverse situazioni implicano o significano per noi.

- Le sensazioni dipendono soprattutto da come i nostri 5 sensi reagiscono di fronte a variazioni che si producono nel nostro contesto. Possono riferirsi alla sfera affettiva (aver voglia di piangere) o intellettuale (sentirsi perso).
- Le emozioni si riferiscono piuttosto a stati affettivi o reazioni a stimoli ambientali, sono accompagnate da cambiamenti fisiologici.

- I sentimenti si riferiscono a concetti globali che riflettono come ci consideriamo e come viviamo la sensazione corporea.

Intelligenza emozionale e identificazione delle emozioni

La capacità di riconoscere con precisione le emozioni è essenziale per la nostra esistenza. Il riconoscimento delle emozioni proprie ed altrui deve essere preciso senza diventare ossessivo dato che l'introspezione e la riflessione eccessiva possono avere ripercussioni negative sullo stato d'animo. È anche necessario saper esprimere le emozioni e saperle comunicare in modo adeguato dato che si tratta di un sistema di comunicazione e quindi dobbiamo essere in grado di creare un messaggio e di saperlo decifrare. Esistono differenze tra le persone per quanto riguarda l'espressione delle emozioni, per questo è importante saper leggere gli altri sia a livello espressivo che di comunicazione non verbale e saper anche riconoscere le emozioni reali da quelle simulate.

Identificare le emozioni è primordiale dato che ci offrono dati necessari per prendere decisioni e per realizzare la nostra attività quotidiana. Sono anche un elemento utile al nostro benessere visto che le emozioni positive, ad esempio, ci aiutano nello sviluppo e a crescere come persone dato che ci indicano quando stiamo prendendo le scelte giuste. Inoltre, le emozioni sono basilari nell'interazione sociale, nel nostro sistema di comunicazione interpersonale che si basa solo in parte sulla comunicazione verbale, gesti corporali, tono di voce ed espressività del volto, che sono intrinsecamente legati alle emozioni, hanno un grande peso.

Tutti sappiamo che non tutte le espressioni emotive sono autentiche quindi dobbiamo essere in grado di identificarle correttamente e il modo migliore per allenare questa capacità di identificazione è porre attenzione ai meccanismi propri. Bisogna essere quindi coscienti delle proprie emozioni, della propria espressività emozionale e di quelli altrui.

Per essere in grado di identificare le emozioni è necessario innanzitutto non occultarle a se stessi, sapere accedere ad esse almeno per un momento della giornata o quando si fanno più intense. Un buon esercizio è quello di tenere un "diario delle emozioni", orientato ad un registro degli stati d'animo come delle emozioni positive che permetta realizzare riflessioni durante alcuni momenti della giornata ed essere coscienti delle nostre emozioni e degli effetti che hanno sul nostro modo di funzionare. Questo esercizio permette inoltre di conoscersi meglio e sapere che elementi quotidiani hanno maggiore influenza sui nostri cicli come l'alimentazione e il sonno.

È inoltre fondamentale essere coscienti anche dell'espressione delle nostre emozioni per poter esprimere ciò che sentiamo andando oltre le parole. Per questo un buon esercizio potrebbe essere quello di parlare davanti ad uno specchio o di videoregistrarsi per osservare la nostra espressività del volto e capire meglio se e come esprimiamo le emozioni, cosa vedono gli altri quando gli parliamo.

Infine, è necessario essere anche coscienti dei sentimenti e delle emozioni altrui e per farlo bisogna porre attenzione alle microespressioni del volto e del corpo. È importante mantenere un contatto visuale ma anche ascoltare l'intonazione del discorso parlato e i movimenti del corpo nell'ambiente. Si può fare mentre interagiamo con qualcuno ma anche ponendo attenzione in scene di film per allenarsi.

L'arte di comprendere le emozioni, l'empatia

Possiamo definire l'empatia come la capacità di mettersi nei panni dell'altro, per capire la sua visione della realtà, la sua posizione e le sue opinioni senza pregiudizi. L'empatia non solo può aiutare gli altri, può essere utile anche a noi stessi.

L'empatia rappresenta la capacità di capire un'altra persona mettendosi nella sua pelle, cercando di capire che cosa accade nella sua mente e perché si sente in un determinato modo. Si tratta di una visione che non parte dalla nostra prospettiva ma che cerca di pensare come lo farebbe l'altra persona, con le sue credenze e valori.

L'empatia ha origine dalla validazione, dal capire che i sentimenti di una persona sono possibili nella situazione in cui si trova, anche se noi nella stessa situazione ne avremmo altri.

In altre parole e con un esempio, per noi può non essere importante il fatto di non avere fratelli, ma per l'altra persona questa cosa sì che può esserlo. In questa situazione la persona empatica metterebbe da parte la sua "scala di valori" per capire la sofferenza dell'altro partendo dalla sua "scala di valori".

Esistono persone che hanno una facilità naturale per fare ciò che abbiamo appena descritto mentre per altre è molto complicato. Tuttavia, a volte, si confonde l'empatia con un altro concetto che non è la stessa cosa ma che è comunque una parte fondamentale perché possa prodursi l'empatia, si tratta del **riconoscimento delle emozioni**. Esistono persone capaci di identificare rapidamente lo stato emotivo in cui si trova un'altra persona e altre che non ne sono in grado.
Logicamente, in questo passaggio precedente alla parte più cognitiva dell'empatia, influiscono molte variabili: la familiarità che si ha con la persona che prova l'emozione, il nostro grado di stanchezza, la sua predisposizione a comunicare, ecc.

L'empatia ha molti aspetti positivi: facilita la comunicazione, la capacità di consolare, la risoluzione di problemi, ecc. Ma ha anche un aspetto negativo: vivere continuamente nei panni altrui può portare ad una disconnessione emozionale con noi stessi che può avere conseguenze negative. È quindi bene esercitare l'azione mentale di metterci al posto dell'altro ma senza dimenticare che l'altro è diverso da noi e non possiamo restare permanentemente lì, dobbiamo pensare a noi e prenderci cura della nostra salute mentale.

Quando mostriamo empatia?
Possiamo essere persone molto empatiche ma se non lo dimostriamo, se non lo mettiamo in pratica, non serve a molto. Detto questo possiamo immaginare alcune situazioni in cui possiamo utilizzarla:

- Quando sappiamo ascoltare e capire i sentimenti dell'altro senza mettere al centro noi stessi e le nostre parole.
- Quando non utilizziamo solo le parole per consolare, ma anche abbracci, pacche sulla spalla, una carezza per dimostrare maggiore empatia.
- Quando ci esprimiamo con delicatezza e cortesia.
- Quando non mostriamo segnali di noia nei confronti di chi ci sta raccontando ciò che lo preoccupa.
- Quando non facciamo un commento che sappiamo che potrebbe infastidire il nostro interlocutore.
- Quando facciamo capire alla persona che la stiamo comprendendo.
- Quando aiutiamo gli altri a risolvere problemi e siamo capaci di calmarli.

Quando non mostriamo empatia?
D'altro canto, possono esistere anche momenti e situazioni in cui non mostriamo empatia, per esempio:

- Quando crediamo che i nostri problemi siano gli unici al mondo.
- Quando non ascoltiamo gli altri.
- Quando giudichiamo e facciamo commenti che feriscono.
- Quando non offriamo un sorriso o un gesto gentile agli altri.
- Quando facciamo qualcosa per gli altri solo perché ci aspettiamo un ritorno.

L'empatia è una buona abilità che merita di essere esercitata perché ci aiuta a capire meglio gli altri. Ma dobbiamo fare attenzione con praticare l'empatia in eccesso perché si rischia di disconnettersi da se stessi.

Come riconoscere le emozioni, 6 consigli utili

Il processo di riconoscimento delle emozioni è di fondamentale importanza per garantire ad ogni persona una qualità di vita salutare, soprattutto in termini di salute mentale. Quando siamo in grado di riconoscere le emozioni altrui e quelle proprie proviamo meno ansia e angoscia.

Esistono persone a cui il processo di riconoscimento delle emozioni viene facile e naturale; altri al contrario hanno bisogno di impararlo sforzandosi ma ciò non significa che non siano capaci, esercitandosi, di rafforzare questa abilità psicologica.

Come riconoscere le proprie emozioni?

Riconoscere le emozioni consiste nella capacità che ha ogni persona di identificare ed accettare le emozioni, proprio ed altrui. È come parlare una lingua; all'inizio può essere confuso e può darsi che non si capisca bene il senso di alcune cose ma poco a poco, con esercizio continuativo, questa lingua diventa sempre più comprensibile e si arriva ad essere capaci di gestirla con facilità.

Per riconoscere le proprie emozioni è importante essere capaci di portare a coscienza alcuni aspetti della nostra persona a cui molte volte non diamo importanza e a cui evitiamo di pensare. Ciò è fondamentale per sviluppare l'intelligenza emozionale.

È normale avere tematiche relative a noi stessi che preferiamo non ricordare e lasciare da parte. Tuttavia, quanto più in fretta troviamo il coraggio di affrontarle in modo oggettivo più facile sarà capire come ci sentiamo.

Come riconoscere le emozioni altrui

Al momento di riconoscere le emozioni degli altri è importante capire e conoscere come funziona il linguaggio non verbale; è un aspetto che è intrinsecamente connesso all'emotività.

Quando ci sentiamo tristi il nostro volto lo esprime attraverso gesti e movimenti di piccoli muscoli che si trovano in vari punti della faccia e anche se proviamo a controllarli o a fingere di provare altro il linguaggio non verbale risponde in gran misura ad aspetti inconsci della nostra personalità, pertanto è possibile notare la tristezza nonostante la persona si sforzi per nasconderla. Si può dire la stessa cosa con le altre emozioni: felicità, nostalgia, paura, ecc.

In questo modo, quando siamo capaci di relazionare il linguaggio corporale di una persona con le sue emozioni, siamo più vicini al capire come si sente.

Un altro aspetto essenziale utile ad identificare le emozioni altrui passa per l'essere in grado di interpretare adeguatamente il suo discorso, ciò che dice verbalmente. Una persona può apparire di buon umore ma, al momento di parlare, dare segnali del fatto che qualcosa non va del tutto bene, per capirlo basta essere in grado di ascoltare con attenzione e sapere interpretare tra le righe ciò che dice.

Consigli per capire il nostro lato emotivo

Vediamo insieme alcuni modi in cui possiamo essere più precisi al momento di riconoscere le emozioni, sia proprie che altrui.

1) Accetta il motivo reale delle emozioni: qualsiasi emozione esiste perché per noi ha un significato

particolare. Se accettiamo la situazione e siamo capaci di affrontarla, nonostante la causa ci sembri irrazionale, allora potremo capire il senso dell'emozione che stiamo provando in quel momento e potremo sentirla in modo completo.

2) Riconosci il tuo contesto: le situazioni che si sviluppano attorno a noi sono capaci di farci sentire in molti modi. È per questo motivo che quando abbiamo un migliore dominio della situazione o riconosciamo il luogo in cui ci troviamo possiamo capire cosa determina e scatena le emozioni che sentiamo.

3) Sii coerente con le tue azioni: per essere capace di riconoscere adeguatamente le nostre emozioni dobbiamo cercare di essere il più coerenti possibile con le azioni che mettiamo in atto come conseguenza di ciò che proviamo. Ciò significa che quanto più pensiero ed azioni vanno di pari passo, tanto più potremo riconoscere le nostre emozioni in modo chiaro senza provare dissonanza cognitiva. Per esempio, non fare nulla di fronte a determinati problemi della nostra vita, ci può causare difficoltà al momento di analizzare come ci fa sentire ciò.

4) Prevenzione di fronte alle emozioni negative: quando abbiamo la possibilità di riconoscere i fattori che ci generano ansia possiamo essere capaci di prevenire l'entrare a contatto con tali fattori. Al farlo stiamo diminuendo la probabilità di provare emozioni negative intense che bloccano la nostra capacità di analisi. Di conseguenza il processo di riconoscimento delle nostre

emozioni sarà agevolato visto che non dovremo far fronte ad emozioni esageratamente sgradevoli.

5) Capire le situazioni per come stanno davvero accadendo. Questo punto si riferisce alla capacità di cognizione che abbiamo come esseri umani. La cognizione implica l'utilizzo di processi mentali superiori (analisi, pensiero logico, interpretazione, risoluzione di conflitti, memoria, ecc.). Con la finalità di capire le situazioni per come stanno realmente accadendo, e non per come ci piacerebbe si svolgessero, a impiegare questo tipo di ragionamento ci ritroviamo a riconoscere le emozioni in un modo molto reale e possiamo cercare le migliori alternative a nostra disposizione.

6) Accettare che qualcosa può sfuggire al nostro controllo: in certi momenti ti troverai in situazioni in cui non potrai intervenire per alterare il risultato come ti piacerebbe. È importante che tu abbia chiara e ben presente questa limitazione. A volte bisogna solo accettare che le situazioni si svolgano in un determinato modo e affrontarle per come sono. Capire ciò ci trasforma in persone più sensate e capaci di riconoscere le nostre emozioni in tutta la loro gamma, prendendo atto del fatto che non possiamo gestirle sempre come ci piace.

Come aiutare i bambini a riconoscere le loro emozioni

Lungo la nostra vita e a partire dalla nascita, noi esseri umani non smettiamo mai di imparare. Senza dubbio alcuni degli insegnamenti più importanti li riceviamo durante l'infanzia e l'adolescenza. Tra quelli imprescindibili si trova il modo di relazionarsi con se stessi e anche quello che prevede il riconoscimento dei propri pensieri, credenze ed emozioni. Si tratta di qualcosa che richiede esercizio e in alcuni casi può comportare difficoltà per riconoscere e gestire le proprie emozioni.

Come aiutare i bambini a riconoscere le proprie emozioni? Vediamo alcune proposte o strategie che possono tornare utili.

Il riconoscimento delle proprie emozioni è un'abilità basica che di norma si sviluppa naturalmente sin dall'infanzia ma che richiede un processo di apprendimento in cui ricevere sostegno esterno può tornare utile.

Sfortunatamente nell'educazione formale abituale esiste uno scarso appoggio allo sviluppo o alla formazione di questa abilità quindi spesso la capacità di riconoscere le emozioni può restare relegata come qualcosa di secondario e che dipende soprattutto dal soggetto e dai vissuti e apprendimenti che acquisisce in famiglia e con gli amici.

Vediamo insieme alcuni esempi in cui possiamo aiutare i bambini a riconoscere le loro emozioni attraverso un apprendimento quotidiano.

1. Parlare di emozioni

Per poter riconoscere le emozioni è importante sapere che cosa viene chiamato "allegria", "tristezza", "rabbia", "disgusto", "paura" o "sorpresa". In questo senso risulta utile che il bambino possa parlare liberamente con gli adulti o chi abita il suo contesto riguardo alle sue sensazione e i suoi desideri e su che cosa prova in ogni situazione con l'obiettivo di poter dare un nome a tali sensazioni.

È importante che nel caso definiamo un'emozione lo facciamo in modo semplice e adatto al grado di sviluppo evolutivo del bambino, senza quindi utilizzare concetti troppo astratti e facendo esempi.

2. Fare esempi di situazioni in cui possono comparire

Come capita anche agli adulti, il fatto di utilizzare esempi, può permettere al bambino di capire che cosa implica un'emozione determinata. Può essere utile scoprire situazioni in cui è abituale sentire ognuna delle emozioni. Bisogna comunque tenere in considerazione che una stessa situazione può provocare diverse reazioni emozionali in persone differenti.

3. Espressioni facciali: emoticon, fotografie e disegni

Una modalità classica di allenare il riconoscimento delle emozioni passa per l'identificazione delle espressioni facciali in volti disegnati o fotografie. Non c'è bisogno che si tratti di espressioni complesse, basta risaltare i gesti che vengono di solito messi in gioco quando si sente una determinata emozione.

4. Mimica ed imitazione

Oltre ad osservare è importante imparare a capire come esprimiamo noi stessi le emozioni. Può essere utile insegnare al bambino diversi modi e gesti che realizziamo quando sentiamo un'emozione specifica in modo che il piccolo le imiti e possa riconoscere alcune delle sensazioni fisiche che avvengono nel corpo.

Un metodo che può tornare utile è quello di imitare volti e gesti davanti allo specchio ed insieme ad un adulto. È molto utile anche la rappresentazione fisica libera delle sensazioni sperimentate da parte del bambino in modo che possa esprimere ciò che sente senza giudizi né limiti.

5. Video e film

A tutti i bambini piace guardare film infantili e ciò è qualcosa che può tornare utile se teniamo in conto che nella maggior parte di questi film i personaggi sentono emozioni e vivono situazioni che possono suscitare alcune anche nei piccoli spettatori. Si può utilizzare questo genere di stimolazione che di solito piace e funge da rinforzo con il fine che i bambini inizino ad imparare ad interiorizzare intellettualmente situazioni emotive e persino ad identificare espressioni fisiche che rivelano l'esistenza di una specifica emozione. È importante scegliere film che siano significativi anche se esistono brevi video o corti che possono tornare utili per questo scopo.

6. *Esprimere le sensazioni con le parole*
Anche se descrivere un'emozione è qualcosa che può risultare complicato a qualsiasi età, un modo di imparare che emozioni stiamo sentendo è cercare di esprimerle a parole. In questo senso può essere utile che gli adulti di riferimento esprimano sia a gesti che a parole ciò che provano o come si sentono in determinate situazioni.

7. *Non recriminare né censurare un'emozione*
Anche se spesso categorizziamo le emozioni in positive e negative tutte hanno una funzione ed è importante riconoscerle e viverle. Quindi è fondamentale non censurare le emozioni o la loro espressione o far credere ai bambini che è sbagliato sentirsi in un certo modo. La questione non è che possano esprimere qualsiasi emozione e dargli sempre ragione per tranquillizzarli ma sì aiutarli a capire perché si sentono arrabbiati o tristi e legittimare questa emozione. Si tratta di stati d'animo naturali che è bene imparare a interpretare e riconoscere per poi poterli gestire.

8. *Teatralizzare situazioni che suscitano emozioni*
Un'altra modalità che può essere utile per imparare a riconoscere le proprie emozioni passa per fare simulazioni e rappresentazioni teatralizzate di situazioni che generalmente tendono a provocare emozioni come rabbia, allegria, tristezza o sorpresa. Ciò aiuta il bambino a sperimentare l'emozione e

lo si può portare a riflettere su come si è sentito e che tipo di sensazioni corporee e mentali ha notato.

9. *Descrivere situazioni in modo che possano dire cosa sentiranno*

Si tratta di creare delle specie di dilemmi etici da impiegare per la descrizione di situazioni emozionali per poi domandare ai bambini che cosa sentirebbero in quella specifica situazione. Non esiste una risposta esatta ma questo esercizio porta a riflettere sulle sensazioni che verrebbero suscitate con maggiore facilità in situazioni simili.

• 4. COME LEGGERE LE MICRO-ESPRESSIONI DEL VOLTO

Paul Ekman e lo studio delle microespressioni facciali

Lo abbiamo già citato in precedenza, Paul Ekman non è solo uno degli psicologi più mediatici (ha infatti partecipato alla creazione della serie "Lie to Me" e del film d'animazione "Inside Out") è anche uno dei pionieri di uno degli ambiti più interessanti della scienza del comportamento: lo studio del linguaggio non verbale e, più precisamente, delle microespressioni.

Saperne di più al riguardo può tornare utile per migliorare le nostre abilità comunicative e per conoscere più a fondo le emozioni basiche ed universali.

Cosa sono le microespressioni?

Una microespressione è un'espressione facciale realizzata in modo involontario e automatico e che, nonostante duri meno di un secondo, può essere utilizzata per conoscere lo stato emotivo della persona che la realizza.

Secondo la posizione di Ekman e di altri studiosi, le microespressioni sono universali, dato che sono il frutto delle espressioni di certi geni che fanno sì che certi gruppi muscolari del viso si contraggano contemporaneamente seguendo uno schema preciso ogni volta che compare uno stato emotivo basco. Da ciò derivano altre due idee: che le microespressioni compaiono sempre allo stesso modo in tutte le persone della specie umana indipendentemente dalla loro cultura e che esiste un gruppo di emozioni universali legata a questi brevi gesti del volto.

Attraverso lo studio delle microespressioni, Paul Ekman ha trattato diversi meccanismi psicologici e fisiologici basici che teoricamente si esprimono allo stesso modo in tutte le società umane e che, di conseguenza, hanno un alto grado di ereditabilità genetica.

Le emozioni basiche

La relazione tra le microespressioni facciali e le emozioni basiche si fonda sull'idea del potenziale adattativo: se esiste una serie di emozioni ben definite e un modo predefinito di esprimerle, ciò significa che altri membri della specie possono riconoscerle e utilizzare questa informazione per il bene della comunità.

In tal modo in situazioni di pericolo o quelle in cui l'importanza di un elemento del contesto fa che gli individui passino ad essere emotivamente attivati, gli altri potranno capire all'istante che sta succedendo qualcosa e cercheranno elementi per conoscere in dettaglio ciò che sta accadendo.

71

Questa teoria non è una novità, già Charles Darwin aveva anticipato questi concetti analizzano le emozioni umane ed animali.

Il ruolo dell'educazione

Bisogna precisare che non è ancora sicuro che esistano microespressioni facciali universali, per esserne certi bisognerebbe conoscere in profondità il comportamento tipico di tutte le culture esistenti. Inoltre, in un ambiente di laboratorio non è facile fare in modo che i soggetti sperimentino le emozioni che gli studiosi vorrebbero.
Quindi, nonostante Paul Ekman si sia sforzato per studiare fino a che punto esistano emozioni basiche universali e movimenti facciali ad esse associati, è possibile che esistano eccezioni in qualche angolo remoto del pianeta e che la teoria non possa considerarsi universale.

Nonostante ciò sono state trovate prove del fatto che, almeno per qualche millesimo di secondo, i membri di molte culture esprimono i loro sentimenti attraverso le stesse espressioni facciali.

Per esempio, secondo uno studio pubblicato su Psychological Science e realizzato a partire da firmati in cui venivano mostrati atleti sportivi che si giocavano una medaglia durante i giochi olimpici, si dimostrò che tutti manifestavano lo stesso tipo di microespressioni immediatamente dopo aver saputo che avevano vinto o perso, nonostante poi ciascuno modulasse i successivi gesti in base alla cultura di appartenenza. Questa è l'essenza delle microespressioni secondo la teorizzazione di Paul Ekman: inizialmente compare una risposta automatica e stereotipata allo stimolo emozionale e dopo ognuno prende il controllo sui suoi gesti.

Gesti che ci tradiscono

Un'altra delle idee più interessanti riguardo alle microespressioni è che, essendo automatiche, non possono essere nascoste né dissimulate con garanzia di successo.

In altre parole, se una persona è sufficientemente allenata per riconoscere microespressioni, avrà un certo livello di conoscenza sullo stato emotivo di un altro anche se cerca di evitarlo.

Tuttavia, nella pratica, riconoscere queste microespressioni non è così semplice, dato che nelle situazioni quotidiane esiste un grande "rumore di fondo" sotto forma di informazioni espresse dai muscoli facciali. Inoltre, spesso è necessaria una strumentazione specializzata per captare un'immagine chiara di questi brevissimi istanti.

Riconoscere le microespressioni

Se le microespressioni vengono generate seguendo schemi stereotipati è logico pensare che è possibile sviluppare un metodo per identificarle in un modo sistematico. Per questo, negli anni '70, Paul Ekman e il suo collega Wallace C. Fiesen svilupparono un sistema per categorizzare ogni tipo di movimento facciale connesso ad uno stato motivo partendo dal lavoro dell'anatomista svedese Hjortsjö. Questo strumento fu chiamato Sistema di Codifica Facciale (in inglese Facial Action Coding System, FACS). Tuttavia, questo non significa che sia possibile riconoscere la menzogna semplicemente identificando microespressioni.

Una microespressione può essere un indizio per sapere se qualcuno è triste o no in un momento specifico ma non ci dice nulla su cosa produce tale emozione. Accade la stessa cosa con le microespressioni connesse alla paura. Possono essere un indicatore del timore che le bugie dette possano venire scoperte, ad esempio.

Come spesso accade lo studio della condotta umana raramente avanza velocemente ed il lavoro di Paul Ekman sulle microespressioni facciali può risultare utile per conoscere da vicino la nostra predisposizione genetica al momento di esprimere emozioni e può essere studiato per imparare a praticare l'empatia e migliorare la comunicazione. Tuttavia, dato che le microespressioni sono automatiche e inconsce è difficile influire direttamente su esse.

Microespressioni: guida per leggerle ed interpretarle

Il volto può dire molto più che mille parole. Il viso di una persona esprime le sue angosce, gioie e paure, anche senza che la persona dica alcuna parola.

Abbiamo visto che le microespressioni vanno concepite come qualsiasi movimento effettuato in modo inconscio e involontario nel volto di una persona, attraverso cui comunica qualcosa di preciso (dispiacere, confusione, frustrazione, incomprensione, disgusto, passione, rabbia).

Dato che si tratta di movimenti facciali molto brevi è difficile che la persona li simuli o che li effettui in modo volontario. Per questo motivo queste espressioni si considerano un indizio affidabile per conoscere la verità comunicata dalla persona.

Sono volontarie e spontanee

Dato che si tratta di espressioni realizzate inconsciamente la persona le realizza senza prestare attenzione a ciò che percepiranno e interpreteranno gli altri.
Facciamo un esempio: Marta ha paura di essere interrogata dal suo insegnante dato che non ha studiato a sufficienza. Per quanto cerchi di stare tranquilla il suo viso è pallido e le sue labbra tremano appena il professore la saluta.

Un altro esempio è quello che riguarda l'interpretare se una persona ha capito ciò che le si sta dicendo osservando i movimenti che effettua con le sue sopracciglia e come apre gli occhi; se non ha capito il messaggio le sue sopracciglia si avvicinano un po' più del normale, se invece ha capito probabilmente aprirà gli occhi e alzerà le sopracciglia. Se presta attenzione è probabile che faccia "sì" con la testa.

Le microespressioni sono importanti perché il volto è la parte del corpo più visibile ed esposto agli altri. Se conosci i segni basici dei diversi movimenti facciali potrai scoprire facilmente se qualcuno ti sta mentendo o identificare chi è sicuro di sé, chi non è a proprio agio, chi è infastidito o confuso.

Tutto inizia prestando attenzione al volto

Per capire il comportamento non verbale inizia osservando il volto della persona con cui parli. La faccia possiede 43 muscoli, di conseguenza sono davvero molti i movimenti che possono sorgere a partire da un pensiero o da una situazione che ha conseguenze positive o negative sulla persona.

Puoi fare una prova e far ridere una persona, osservare come sbatte le palpebre e intanto apre e chiude la bocca. Puoi anche spaventarla e vedere come impallidisce e apre gli occhi.

Potresti ritrovarti a pensare che imparare a leggere un volto è un compito complesso e che solo alcune persone riescono a imparare l'arte delle microespressioni ma per quanto ti risulti difficile da credere chiunque può allenare questa capacità.

Basta infatti prestare attenzione ai piccoli dettagli ed iniziare ad analizzare le persone più vicine a te, nel tuo contesto, dato che conoscendole non ti sarà difficile visto che ne conosci la personalità e il loro modo di pensare. Vuoi saperne di più sulle microespressioni? Vediamo di seguito qualche consiglio per capirle ed utilizzarle a tuo favore.

Allegria

Si caratterizza per un innalzamento delle guance e degli zigomi, si produce inoltre un breve movimento delle labbra che le porta ad inarcarsi, sotto agli occhi e intorno al naso compaiono rughe così come intorno alle labbra e alla zona esterna degli occhi. Quanto maggiore è l'emozione della gioia tanto più verrà aperta la bocca e si vedranno i denti.

Un trucco, quando una persona finge allegria queste rughe intorno agli occhi non compaiono.

Disgusto

In questo caso compare un'elevazione asimmetrica delle labbra, rughe nella zona delle labbra, sulla fronte e sulle palpebre. Si tratta di una delle emozioni più facili da identificare dato che tutti i movimenti muscolari si concentrano intorno alla bocca ed al naso, che si arriccia. A volte i denti superiori restano alla vista.

Questa emozione compare quando stiamo per mangiare qualcosa che ci risveglia ripugnanza, ma anche quando disapproviamo qualcuno o qualcosa. Il disgusto può infatti coinvolgere il rigetto ad ideologie opposte alle nostre, per questo non è strano osservare questa emozione durante un dibattito.

Ira

In questa emozione le sopracciglia si contraggono, la fronte si aggrotta, le palpebre inferiori restano tese. Lo sguardo è fisso, le labbra tese e il volto può arrossarsi, pronto a gridare. Le microespressioni si concentrano soprattutto nella parte superiore del viso mentre bocca e denti possono assumere una certa tensione. Un gesto tipico dell'ira è quello che vede il mento rivolgersi in avanti come a indicare la persona che si ha di fronte, in un gesto di sfida.

Paura

Quando si prova paura vengono elevate e contratte le sopracciglia, le palpebre si alzano, cadono gli zigomi e la bocca si socchiude mentre gli occhi si aprono in modo eccessivo. Il colore del volto tende a impallidire. Il motivo per cui vengono aperti enormemente gli occhi risiede nella possibilità di vedere meglio tutto ciò che ci circonda e avere un controllo dettagliato della situazione visto che stiamo percependo un pericolo.

La mandibola intanto si apre e apriamo le labbra per facilitare la fuoriuscita di un urlo nel caso fosse necessario, inoltre avere la bocca aperta facilita l'ingresso di ossigeno nel caso dovessimo iniziare una rapida fuga.

Sorpresa

Quando proviamo sorpresa eleviamo le sopracciglia, si aprono gli occhi, si alzano le palpebre e a volte anche la bocca viene aperta generando un abbassamento e apertura della mandibola. Come nella paura anche in questo caso gli occhi vengono aperti in modo esagerato.

Tristezza

In tale emozione lo sguardo viene rivolto verso terra, le sopracciglia formano un triangolo, gli angoli della bocca cadono e può manifestarsi un leggero tremolio delle labbra. Le microespressioni della tristezza sono tra le più difficile da dissimulare.

Come avrai capito allenare l'arte dell'analisi delle microespressioni facciali non è così complicato, il segreto è allenarsi quanto più possibile a identificarle. Alcune persone sono in grado di manipolarne altre controllando le proprie microespressioni facciali, riescono persino a controllare la dilatazione della pupilla e a muovere lo sguardo a destra, sinistra, in alto o in basso, ossia a mettere in pratica fattori determinanti per mascherare al meglio una menzogna.

Ma si tratta di casi estremi, come quelli di spie che vengono esercitati per anni per poter ingannare e convincere gli altri dei loro argomenti.

Tuttavia, il linguaggio non verbale non coinvolge solamente i muscoli del volto, possiamo allenarci ad osservare molti altri movimenti corporei per capire che emozioni sta provando (o fingendo di provare) il nostro interlocutore. Vediamolo di seguito.

Linguaggio del corpo, guida per un rapido riconoscimento

Se il linguaggio del corpo è un argomento nuovo per te o se vuoi ripassare i concetti basici della comunicazione non verbale, di seguito ti forniamo le informazioni più utili ed interessanti.

Che cos'è il linguaggio del corpo

Abbiamo già visto che il linguaggio corporale è quella parte della comunicazione non verbale che si riferisce ai codici gestuali espressi dal tuo corpo. Si divide in diversi ambiti: la Cinesica o espressione del corpo come un tutto, l'Espressione Facciale a cui abbiamo già accennato e che ingloba le microespressioni e tutte le emozioni che un volto può esprimere.

Le applicazioni più importanti del linguaggio del corpo sono il poter modellare la propria espressione non verbale per comunicare meglio, oltre ad osservare ed analizzare gli altri ed utilizzare diversi fattori per persuadere e convincere in modo più efficace.

La comunicazione non verbale, ossia tutto ciò che non viene espresso a parole, include il linguaggio del corpo ma anche il paralinguaggio (ossia le caratteristiche della voce) e persino i feromoni (ciò gli odori che vengono emessi dal corpo in modo naturale).

I primi passi per decifrare il linguaggio del corpo

Facciamo un esempio, pensa a come si possono incrociare le braccia sul petto, sembra un gesto che si può realizzare solo in un modo e invece a seconda di come vengono incrociate le braccia può venire trasmesso che la persona ha una postura difensiva, ad esempio se mostra i dorsi delle mani che si approcciano al braccio opposto, a indicare una certa tensione. In un'altra postura le braccia possono effettivamente incrociarsi e passare l'una sotto all'altra, ma a seconda di come è il suo volto possiamo percepire un atteggiamento difensivo o di relax. Infatti, siamo abituati ad analizzare vari aspetti del contesto, non solo i gesti dell'altro presi separatamente. Per cui qualsiasi analisi del corpo dovrebbe passare per le seguenti fasi:

- **La situazione**: ossia le condizioni in cui avviene l'interazione. Per esempio, stiamo osservando due persone che discutono? Che tipo di relazione esiste tra loro? Si conoscono o sono estranei? L'incontro è stato casuale o programmato?
- **L'ambiente**: determina le caratteristiche fisiche del luogo in cui avviene la scena. Per esempio, non è la stessa cosa vedere che qualcuno urla ad un altro in un ambiente di per sé rumoroso che vederlo fare in un contesto tranquillo. Oppure una persona che incrocia le braccia può farlo perché l'ambiente è freddo rispetto alla sua temperatura corporea.
- **La prossemica**: si tratta della distanza con cui le persone interagiscono, si associa al livello di confidenza tra i soggetti, quanta più confidenza c'è tanto più le persone stanno vicine.
- **La postura**: quest'ultimo punto ci introduce nella questione: la cinesica o vocabolario non verbale, in cui iniziamo a decifrare il linguaggio non verbale dei gesti, l'orientamento del corpo, i movimenti e infine le emozioni espresse dal volto.

La cinesica: esprimiamo le emozioni con il nostro corpo, come se fosse un tutto

Definiamo la cinesica come l'espressione generale del corpo, i suoi movimenti globali e specifici e come proietta atteggiamenti ed emozioni.

Quando diciamo "espressione generale" dobbiamo considerare il corpo come un sistema. Nell'analizzare il linguaggio corporale bisogna pensare che il corpo umano è retto da due sottosistemi:

- Il **sottosistema assiale** che determina l'interesse generale della persona. Ciò che attira l'attenzione, ciò in cui è concentrata, ciò che sta pensando in quel momento. Può essere rappresentato da tre assi orizzontali chiamati "ordini":

  o Il primo ordine, il più importante, va dal petto fino alla fronte; determina l'interesse principale del soggetto, ciò che sta occupando la sua attenzione.
  o Il secondo ordine è determinato dall'orientamento dei piedi. Modella l'atteggiamento della persona e permette farsi un'idea sulla disposizione a restare in un luogo o la volontà di volersene andare.
  o Il terzo ordine è l'asse che parte dal naso e va verso la fronte. Si tratta dell'asse "diplomatico", nel senso che a volte guardiamo in modo diretto gli altri, anche se non stiamo prestando un'attenzione totale.
  o

- Il **sottosistema satellitare**, composto dalle estremità ed è più facile descriverlo come la prossimità e i movimenti di mani e piedi rispetto al corpo. Avrai sicuramente notato che alcune persone muovono molto le loro mani quando parlano. Altri invece si siedono raccogliendo i piedi all'indietro oppure altri aprono eccessivamente le gambe. Questi esempi riguardano la Cinesica Argomentativa.

Nel linguaggio del corpo la cosa più importante è determinare cosa esprimono gli altri con i loro gesti. Si tratta di una conversazione senza parole in cui esistono argomenti che supportano o contraddicono ciò che viene detto a parole. A differenza delle parole il corpo sta sempre esprimendo qualcosa, il linguaggio del corpo non tace mai, persino quando il corpo è immobile.

Attraverso la Cinesica Argomentativa possiamo determinare diversi atteggiamenti, ad esempio il terzo ordine (il volto) può essere diretto verso di noi ma il primo ordine (il petto) essere rivolto da un'altra parte. I suoi satelliti (mani e piedi) possono essere vicino al corpo, in posizione difensiva e tutto il corpo essere appoggiato e stare allontanandosi leggermente dal nostro.

Dal sottosistema satellitare superiore (le nostre mani e braccia) sorgono i gesti manuali che si categorizzano come illustratori, manipolatori, regolatori, pacificatori o emblemi.

La differenza tra posture Alfa e Beta

Partiamo dalle origini, per poter sopravvivere in circostanze ostili, da moltissimi secoli, abbiamo un riflesso programmato che ci porta a lottare o fuggire e che ci condiziona a innescare una di queste due reazioni in caso di pericolo.

Lottare o fuggire sono due opzioni molto diverse e, allo stesso tempo, si relazionano con atteggiamenti che distinguono ai membri di un gruppo. L'"alfa" del gruppo è chi guida il resto (nella presa di decisioni, persino se si tratta di lottare), mentre che i "beta" lo seguono. Essere "beta" non significa necessariamente essere sottomesso o ubbidiente, significa piuttosto che ci si fida dell'"alfa". Questa distinzione continua ad avere senso anche ai giorni nostri dato che si tratta di una programmazione molto profonda nel nostro cervello e l'atteggiamento di "alfa" e "beta" si evince dalla loro postura corporale. Bisogna inoltre avere ben chiaro che spesso la postura da "beta" ci dà più vantaggi che quella da "alfa".

Le posture da Alfa si caratterizzano per:
- Mento che sporge verso l'alto,
- Petto leggermente rivolto verso fuori, senza incrociare le braccia,
- Postura eretta,
- Mani ai lati del corpo,
- Contatto visivo chiaro,
- Movimenti corporali lenti e controllati.

Le posture Beta si caratterizzano per:
- Sguardo schivo o rivolto verso terra,

- Petto richiuso leggermente verso se stesso,
- Postura leggermente incurvata,
- Braccia incrociate sul petto, a coprire i genitali oppure a contatto con il corpo,
- Corpo inclinato per allontanarsi dalla minaccia.

A cosa serve la postura "beta"? A prima vista può sembrare controproducente in qualsiasi scenario ma in realtà esperti di terrorismo affermano che nel caso di venire sequestrati da soli o in gruppo, una postura beta permette di non dare troppo nell'occhio e facilita l'empatia con i sequestratori (non si sa mai).

I gesti illustratori

I gesti illustratori sono quelli che ci aiutano a portare a termine un discorso verbale con movimenti che rappresentano i concetti che stiamo esprimendo a parole. Ad esempio, fare la pinza con pollice e indice mentre diciamo "manca poco", oppure disegnare un cerchio nell'aria mentre si esprime la parola "rotondo", sono esempi di gesti illustratori.

Non bisogna confondere i gesti illustratori con il linguaggio dei segni in cui i movimenti hanno significati determinati, nel primo caso sono invece generici e adattabili a diversi significati e contesti.

I gesti illustratori non presentano una tassonomia universale, in altre parole le culture o i paesi non si sono messi d'accordo per attribuire un significato specifico a un gesto e ciò può causare confusione tra membri di diverse culture.

Tuttavia, i gesti illustratori possono classificarsi per il loro movimento nello spazio in funzione delle seguenti caratteristiche: Ampiezza, Velocità, Simmetria, Traiettoria, Sincronia e Contatto Visivo.

L'importanza di riconoscere i gesti manipolatori

Si tratta di gesti che vengono anche denominati adattatori o pacificatori, sono movimenti delle mani o delle dita che non supportano il discorso come gli illustratori ma rappresentano tensioni emozionali della persona. Qualsiasi emozione che causa un disequilibrio (nervosismo, timidezza, angoscia, paura, rancore, ecc.) possono scatenare questo tipo di gesti.

Il gruppo di "Manipolatori, Adattatori, Pacificatori" è anche noto come MAPs e possono essere molto vari, ma la caratteristica che li accomuna è che sono rivolti al corpo stesso, ad esempio:

- Passarsi la mani per i capelli,
- Toccarsi il naso,
- Coprirsi la bocca,
- Toccare il vestito o le maniche,
- Toccarsi le dita,
- Passare la mano per il collo.

Micropruriti e Microcarezze

I Micropruriti e le Microcarezze sono gesti manipolatori quasi impercettibili che si eseguono con la punta delle dita, anch'essi sono rivolti verso il proprio corpo e sono il risultato di uno stimolo emotivo. Ad esempio, una persona può avere le braccia conserte e intanto accarezzare leggermente il braccio con un dito oppure giocare con un anello.

Le differenze culturali sono rappresentate dagli emblemi

Gli emblemi sono gesti che hanno un significato comune in un gruppo o in una cultura. Noi italiano siamo famosi in tutto il mondo per questo, in ogni conversazione inseriamo un'ampia serie di emblemi che rafforzano le nostre espressioni verbali.

Esistono emblemi ambigui come il tradizionale simbolo della vittoria che in alcune culture può risultare offensivo. Gli emblemi sono diversi dai gesti illustratori, questi ultimi possono interpretarsi in modo praticamente universale.

Il paralinguaggio: ciò che riveli quando parli

Non tutto ciò che esce dalla nostra bocca quando parliamo è linguaggio verbale, il paralinguaggio si riferisce a tutte le caratteristiche della voce e a come essa possa venire modificata dalle emozioni:

- La velocità del parlato,
- Il volume della voce,
- Il tono,
- La modulazione e la pronuncia.

È importante allenare la capacità di notare cambiamenti nell'intonazione o differenze tra una fase e l'altra per quanto riguarda il volume o ancora se la modulazione di qualche parola è strana.

Questi cambiamenti non sono facili da riconoscere rispetto ad altre caratteristiche del non verbale ma sono un indizio molto preciso di ciò che sta emozionando il soggetto.

Che cos'è l'errore di Otello e come evitarlo

L'"Errore di Otello" rappresenta l'interpretazione erronea di segnali di nervosismo (di una persona innocente che vuole convincere della sua innocenza) interpretati come segni di menzogna e di colpa. Generalmente viene commesso da qualcuno che non è uno specialista dell'interpretazione del non verbale e che trae conclusioni da osservazioni incomplete. Una buona analisi dovrebbe includere infatti:

- La Cinesica,
- Analisi delle microespressioni facciali,
- Paralinguaggio,
- Analisi verbale,

- Inoltre la persona che analizza deve essere diversa da chi realizza un interrogatorio.

Vale la pena imparare a interpretare il linguaggio non verbale?

Alcune categorie di professionisti possono trarre maggiore beneficio dall'esercitarsi ed imparare ad analizzare il linguaggio non verbale, ad esempio:

- I medici possono applicare queste conoscenze per creare un rapporto di fiducia con i pazienti e portarli a sentirsi liberi di esprimere i sintomi con sincerità e sentendosi in sintonia con il professionista che li ha in cura.
- Gli avvocati penalisti lo possono usare per capire se i propri clienti sono realmente innocenti e anche per mostrare maggiore sicurezza durante un processo.
- Gli psicologi lo applicano con i loro pazienti per creare un ambiente di confidenza, come fanno i medici.
- I maestri possono utilizzare per identificare alunni che fanno più fatica nelle diverse fasi di apprendimento.
- Qualsiasi dirigente può utilizzare queste tecniche per convincere i colleghi o superiori riguardo a un progetto.
- Anche i venditori o commerciali possono trarre benefici dal poter interpretare i gesti dei loro interlocutori e capire quando è il momento migliore per chiudere la vendita.

Esistono numerosi altri esempi e situazioni in cui poter trarre beneficio dal conoscere il linguaggio non verbale:

- Per sapere se piaci ad una persona, conoscendo i segnali di attrazione o mettendoli in pratica.
- Per essere persuasivo nelle conversazioni.
- Per parlare con i bambini o con qualsiasi parente dato che la comunicazione familiare a volte è particolarmente complessa. L'ascolto attivo e l'interpretazione delle espressioni non verbali possono tornare utili per capirsi a fondo in situazioni molto emotive.

• 5. COME INDIVIDUARE E RICONOSCERE I SEGNALI DELLA MENZOGNA

Come sapere se qualcuno sta mentendo

Vuoi imparare a riconoscere le menzogne e diventare una sorta di poligrafo umano? Ti mostriamo di seguito diverse risorse per scoprire quando qualcuno sta mentendo.

Mentire è irrazionale, impariamo a farlo da piccoli per evitare conseguenze negative dei nostri errori e continuiamo poi a farlo da adulti quando consideriamo che il beneficio supera i rischi. Per questo di solito diciamo bugie che non fanno male e che non ci fanno sentire pessime persone (ad esempio: "Ti sta molto bene questo nuovo taglio di capelli!" oppure: "Ho pescato un pesce di 8 Kg!"), tutti mentiamo in un modo o nell'altro.

Esistono diversi studi sul perché, quando e come mentiamo e grazie ad essi oggi sappiamo che:

- In una conversazione di soli 10 minuti è probabile che si arrivi a mentire 3 volte.
- Gli uomini sono soliti farlo più spesso delle donne.
- Gli estroversi mentono di più che gli introversi.

- Quanto più è creativa una persona tanto più tende a mentire.
- Il mezzo prediletto per farlo è il telefono perché il linguaggio del corpo resta occulto.
- Mentiamo di meno via e-mail perché ci spaventa l'idea che qualcosa resti scritto.

Tuttavia, esistono anche molti falsi miti riguardanti la menzogna.

Le bugie riguardo il riconoscimento della menzogna

Credi di essere bravo a riconoscere quanto gli altri mentono? Forse è così o forse semplicemente credi di esserlo; secondo alcuni studi siamo capaci di scoprire una menzogna nel 54% dei casi, in altre parole tirando in aria una moneta avremmo le stesse probabilità.

Molti dei comportamenti che si presuppone accompagnino una bugia (evitare il contatto visivo, innervosirsi, dilatare le pupille, grattarsi il naso, ecc.) possono essere manifestati anche da persone oneste che non stanno mentendo ma sono timide o stanno vivendo una situazione tesa.

Di seguito vediamo vari miti riguardo la scienza della menzogna e che in realtà non hanno alcuna utilità né basi veritiere.

1. La menzogna ha un suo linguaggio corporale specifico

Secondo una credenza popolare il corpo invia segnali quando mentiamo, ma nessuno studio ha saputo stilare una serie di comportamenti corporei specifici da associare alla menzogna. Come mai? Perché tutti ci comportiamo in modo diverso quando mentiamo, quindi non dare per scontato che se qualcuno non ti guarda negli occhi mentre ti parla o se si tocca il viso stia cercando di ingannarti.

Alcuni gesti vengono spesso considerati sintomo di menzogna, qualche esempio?

- *Coprirsi la bocca con una mano.* Se qualcuno sta raccontando qualcosa e si copre la bocca secondo alcuni potrebbe stare mentendo. Allo stesso modo se si copre la bocca mentre ti ascolta potrebbe voler dire che ti sta nascondendo qualcosa.
- *Toccarsi il collo.* Può essere coniugato anche al tocco del collo della camicia o della maglietta, secondo alcuni indica ansia, nervosismo o addirittura paura. Alcuni uomini tendono a toccarsi il nodo della cravatta e secondo chi lo considera un gesto della menzogna ciò sarebbe dovuto al fatto che mentire può provocare una sensazione di prurito o di fastidio su volto e collo che ci porta a grattarsi in modo involontario.
- *Espressione facciale di falsa sorpresa.* Per alcuni ingigantire le microespressioni facciali tipiche della sorpresa può essere un segnale di menzogna, se poi tali movimenti del volto durano più di un secondo la sorpresa sarebbe palesemente finta.

Per ogni studio che dice che chi mente si tocca il naso ne esiste un altro che afferma l'opposto. In definitiva non esiste alcun segno o set di segni specifici che ti permettano di capire al volo e con precisione che una persona stia mentendo.

2. Non fidarti di ciò che ti dicono

Nonostante è idea diffusa che il linguaggio del corpo sia più importante di quello verbale anche in questo caso bisogna considerare questa affermazione con la dovuta cautela.

Il linguaggio del corpo può offrire indizi ma a volte ciò che viene espresso a parole può risultare persino più affidabile.

3. La direzione dello sguardo dà indizi

Secondo la PNL (programmazione neurolinguistica), quando qualcuno muove gli occhi verso destra potrebbe stare mentendo mentre se li muove verso sinistra dice la verità. Ma se ciò fosse vero avremmo l'indizio chiave per scoprire tutti i bugiardi ed essi parlerebbero con gli occhiali da sole. Ovviamente non si può semplificare così il riconoscimento della menzogna.

Secondo uno studio condotto nel 2012 la direzione dello sguardo è indipendente dalla veracità della storia raccontata. Di fatto, secondo alcuni studi, la gente che dice più bugie non guarda verso nessun lato e mantiene fisso lo sguardo, probabilmente lo fa per capire se l'interlocutore sta credendo alla menzogna.

4. Il poligrafo non sbaglia mai

Un altro mito. Per quanto film e programmi TV si impegnino a farci credere che il poligrafo è uno strumento affidabile, in uno studio venne dimostrato che la percentuale di veridicità era del 65%. Il problema principale è l'alta quantità di falsi positivi: è molto probabile che identifichi come bugiarde persone che stanno invece dicendo la verità.

In definitiva, la verità è che riconoscere chi mente è molto difficile. Il motivo principale è che tendiamo a mischiare bugie con concetti veri e possiamo quindi aggiungere dettagli reali che danno maggiore credibilità.

Inoltre, ogni individuo è così unico che non esiste alcun segno universale della menzogna. Non tutti mettiamo in atto lo stesso comportamento quando mentiamo, c'è chi evita il contatto visivo ma un altro può non riuscirci.

Per questo motivo allenarci per riconoscere bugie attraverso il linguaggio verbale o corporale ci porta ad indovinare al massimo nel 60% dei casi, ossia 6 punti in più di chi non ha mai esercitato tale abilità.

E allora come faccio a sapere se una persona mente?

Innanzitutto, bisogna avere chiari tre concetti fondamentali:

1. Fai attenzione ai dettagli e ai cambiamenti di condotta

Il semplice fatto di prestare attenzione ai dettagli perfezionerà le tue abilità di riconoscere la menzogna. Quando qualcuno mente possono comparire piccole differenze nel suo comportamento o nella storia che racconta e diversi studi hanno dimostrato che porre l'attenzione su tali dettagli migliora le capacità di riconoscere le bugie.

2. *Cerca di isolarti dalle tue emozioni*
Ovviamente è difficile ma se ti arrabbi, ti intristisci o ti rallegri eccessivamente non sarai in grado di vedere i dettagli. Quando entri in uno stato emotivo la tua mente entra in modalità "pilota automatico", se disattivi parte delle tue funzioni razionali potresti non notare indizi che indicano che l'interlocutore sta mentendo.

I bugiardi con più esperienza cercano di ottenere proprio questo: portarti in uno stato alterato affinché tu non faccia più domande e cominci a prendere decisioni erronee. Se mantieni la testa sulle spalle e non ti fai travolgere dalle emozioni sarai più lucido.

3. *Alla fine ti resta solo l'istinto*
Il passo finale, una volta che hai osservato i dettagli con la massima freddezza possibile è quello di fidarti del tuo istinto. Affidati all'intuizione perché come è stato dimostrato scientificamente siamo più efficaci individuando bugie quando lo facciamo in modo incosciente che se cerchiamo di analizzare segnali in modo razionale. Il motivo è che a livello irrazionale siamo capaci di vedere segnali che la mente

cosciente non nota. Quindi, presta attenzione, fai passare un po' di tempo e lasciati guidare dal tuo istinto, le probabilità di indovinare aumenteranno.

Anche se i 3 punti appena descritti sono imprescindibili per avere una maggiore certezza che qualcuno ti sta mentendo hai bisogno che i suoi segni della menzogna, come cambiamenti nella condotta o contraddizioni della sua storia siano evidenti. Vediamo come farlo.

Identifica il suo stato naturale e trova le differenze

L'unico modo di poter sospettare con una certa sicurezza del fatto che qualcuno stia mentendo è trovando differenze tra i segni di quando dice la verità rispetto a quando non lo fa. Per questo la prima cosa da fare è capire come si comporta abitualmente, ossia conoscere la sua "linea base della condotta".

- Se è una persona a te nota dovrebbe essere più facile anche se puoi osservare con maggiore attenzione il suo linguaggio del corpo o le frasi che utilizza più spesso.
- Con uno sconosciuto potrai farlo iniziando a parlare di un tema superficiale di conversazione dove non sia necessario mentire, per esempio puoi domandargli di dove sia.

A partire da qui ogni volta che parlerai di una nuova tematica è importante che osservi quale comportamento non rientra in quelli abituali e considerarlo un campanello di allarme, ad esempio:

- Si stringe nelle spalle più del solito? Secondo Ekman alcune persone hanno la tendenza ad alzare leggermente una o entrambe le spalle quando mentono, come se volessero proteggersi.
- Inizia a toccarsi gli occhi? In un tentativo inconscio di allontanare dalla vista qualcosa di scomodo, alcune persone iniziano a sfregarsi gli occhi in modo inconscio.
- Ti guarda fisso facendo "Sì" con la testa? Alcune persone, quando mentono, iniziano a guardarti fisso e ad assentire.
- Comincia a muovere le mani o a giocare con esse? Si tratta di un altro segnale di nervosismo.

È importante che non consideri questi segnali singolarmente ma che cerchi un insieme di essi. Inizia a sospettare se il tuo interlocutore, all'improvviso, inizia ad avere un'attitudine più inquieta o chiusa, ad esempio. Nonostante questi cambiamenti non rappresentino la certezza del fatto che sta mentendo, di solito rivelano qualche alterazione emozionale.

Sovraccarico dei circuiti: lo stress cognitivo

Ora sai che non esiste una formula magica e che il trucco per riconoscere se qualcuno sta mentendo è trovare differenze rispetto alla sua condotta abituale. Tuttavia, quando qualcuno si è preparato per mentire con naturalezza la questione può diventare complicata, in queste situazioni hai un'arma a tuo vantaggio, ossia lo *stress cognitivo.*

Raccontare bugie è difficile, bisogna infatti creare una storia, aggiungere elementi realistici e cercare di non lasciare nulla al caso. Ciò obbliga il cervello della persona che mente a lavorare duramente. Se riesci a sovraccaricare ulteriormente il suo processo mentale, i segni verbali (come contraddizioni e dubbi) e quelli corporali (come cambiamenti di condotta) saranno evidenti. Il bugiardo smetterà di potersi concentrare sulla storia costruita per mantenere occulti i segnali che saltano alla vista e sarà più facile per te notarli. Vediamo di seguito come fare a sovraccaricare cognitivamente un interlocutore se sospetti che stia mentendo.

1. **Sorprendilo**: poche persone sono davvero maestre della menzogna. Tessono storie complesse e trame da film hollywoodiano e allora come fare a sorprenderle? Innanzitutto, osservali attentamente e, quando meno se lo aspettano, sorprendili con un cambio di argomento o con una domanda che non si aspettano, ad esempio:

   a. Cambia tematica, se la persona stava mentendo potrebbe rilassarsi cambiando l'argomento della conversazione. Se fosse innocente potrebbe stranirsi e domande apertamente come mai hai cambiato discorso.

   b. Fai una domanda imprevedibile per cogliere di sorpresa il tuo interlocutore che forse non si aspettava di dover rispondere a una determinata curiosità e non ha preparato una risposta.

2. **Ripercorri la storia in ordine inverso**: è una strategia che viene usata spesso dalla polizia quando interroga i presunti colpevoli di un reato e chiede loro di raccontare la storia partendo dalla fine e andando verso l'inizio. Raccontare una storia al contrario è facile se si tratta di un racconto fedele al reale e che una persona ha vissuto per davvero ma quando si tratta di una bugia lo stress cognitivo aumenta per via della difficoltà a far incastrare pezzi del racconto. Così possono emergere incongruenze evidenti o cambiamenti nel linguaggio del corpo.

Diversi studi hanno dimostrato che è più facile riconoscere una menzogna quando qualcuno racconta una storia al contrario, quando un bugiardo lo fa potresti notare che:

- La storia non è più ben organizzata,
- La persona si corregge varie volte,
- Omette dettagli sensoriali (colori, odori, ecc.),
- Risponde in modo schivo,
- La storia è piena di contraddizioni,
- La persona si agita e innervosisce,
- Parla più lentamente.

3. **Mettilo alla prova con un interrogatorio**: prima di accusare qualcuno è conveniente avere un nutrito

numero di informazioni a supporto della tua tesi. Quanti più dati raccogli a favore della tua idea che la persona stia mentendo meglio è. Per ottenerne fai domande il più possibile aperte all'inizio (tipo "Cosa hai fatto ieri pomeriggio?") e poi inizia ad entrare nel dettaglio (tipo "Mi puoi dire a che ora sei uscito?") e osserva attentamente se il tuo interlocutore mette in atto qualcuna delle seguenti strategie:

a. *Ripete la domanda che gli hai posto.* Se quando gli fai una domanda la ripete prima di risponderti probabilmente cerchi di guadagnare tempo per preparare la risposta.

b. *Ti fornisce troppa informazione innecessaria.* Nel caso fornisca troppi dettagli nonostante non sia richiesto le probabilità che stia mentendo aumentano.

c. *Ha un atteggiamento difensivo quando gli domandi perché dovresti credergli.* Se poni questa domanda a qualcuno che non mente di solito risponde "Perché ti sto dicendo la verità", invece un bugiardo può mettersi sulla difensiva con frasi come "Non c'è bisogno che mi creda se non vuoi" o "Perché dovrei mentirti?".

d. *Evita rispondere "sí" o "no" ad una domanda diretta.* Se verso la fine dell'interrogatorio non riesce a rispondere con monosillabi a domande dirette e tende ad utilizzare altri argomenti, hai buoni motivi per sospettare.

4. **Fai attenzione alle storie**. I più abili bugiardi elaborano storie complesse perché é dimostrato che così è più facile distrarre la mente dell'interlocutore. Quando ci raccontano una storia tendiamo a rilassarci e a non prestare attenzione ai dettagli, diventa quindi più complicato notare incongruenze. Quanto più ti immergi in un racconto tanto più possono ingannarti. Per evitarlo puoi interrompere chi parla e domandare di ricominciare o di raccontare di nuovo un punto che non ti è del tutto chiaro. Così facendo aumenterai il suo stress cognitivo e ridurrai il potere persuasivo della storia.

Per riassumere quanto spiegato, riconoscere le bugie, per quanto ti vogliano far credere che esistono segnali del linguaggio del corpo inconfondibili, non è così semplice. L'unico modo efficace è il seguente:

- Fai in modo di conoscere la **condotta abituale** della persona e sospetta se inizia a comportarsi in modo diversi quando affronta un determinato argomento.
- Per fare in modo che questi cambiamenti siano evidenti portalo a provare uno **stress cognitivo**, se sta mentendo compariranno incongruenze nella storia e assisterai a cambiamenti nel suo linguaggio corporale.

Le menzogne dei bambini, come approcciarsi ad esse

Anche i bambini mentono e lo fanno per motivi molto simili a quelli degli adulti. Le loro prime bugie di solito sono esplorative e parte di un gioco, più avanti le utilizzano per evitare un castigo o eludere responsabilità proprie della loro età. Non bisogna dimenticare che mentire è una condotta che indica uno sviluppo cerebrale critico e con ogni bugia un bambino rafforza la comprensione che le altre persone hanno pensieri ed esperienze diverse dalle loro. In altre parole, mentire richiede buone abilità di pensiero.

I bambini cominciano a mentire intorno ai 4 anni anche se a volte possono essere persino più precoci. Se notiamo che un bambino sta mentendo la cosa migliore da fare è parlare con lui e cercare di capire se la nostra sensazione corrisponde alla realtà. Bisogna capire in tempo le bugie dei bambini perché se si abituano a mentire si rafforza una condotta negativa che può essergli controproducente durante la crescita.

Come capire se un bambino mente?

È importante che tra adulto e bambino si crei un ambiente disteso di comunicazione affinché i minori possano ammettere la colpa e risolvere i problemi che credono di avere. Quando un bambino mente di solito non lo fa per arrecare danno ma per piacere o non deludere genitori, insegnanti o amici. Bisogna quindi aiutarlo a capire che essere onesto è più importante dell'immagine di sé che si proietta agli altri. Se un bambino trova necessario mentire normalmente è perché non sente la fiducia sufficiente per dire la verità. Gli adulti di solito lo notano perché è nervoso, la sua voce cambia o schiva lo sguardo. Vediamo di seguito in dettaglio qualche indizio per capire se un bambino mente.

1. *Non fare domande interminabili*
Il primo consiglio per capire se un bambino mente è chiedergli se ha mentito e senza fare domande interminabili. Devono essere precise e bisogna creare una situazione di fiducia. Se facciamo domande troppo articolate lo innervosiremo e probabilmente si metterà sulla difensiva. Dobbiamo spiegare con calma che apprezzeremmo molto che ci dicesse cosa è successo e che fosse sincero, che non verrà castigato se ci dirà la verità.

2. *Empatia e calma*
Se interroghiamo un bambino come se fossimo poliziotti sicuramente non sarà sincero. Bisogna ricreare un ambiente tranquillo ed empatico adeguato alla sua età. Bisogna lasciare che racconti i fatti a modo suo.

3. *Cerca di concentrarti sul lato positivo*
Quando il bambino ti avrà raccontato ciò che è accaduto cerca di soffermarti su ciò che di positivo ha espresso. Ha riconosciuto di aver mentito ed è importante che capisca che non deve ripetere questo atteggiamento. Se ti arrabbi con lui sentirà l'aggressività e non vorrà raccontarti altro in futuro.

4. *Dai il buon esempio*

L'ambiente familiare e scolastico influisce enormemente sulla condotta dei bambini. Tra i vari motivi per cui i bambini mentono è perché lo vedono fare agli adulti che li circondano e tendono a farlo quando sentono che i loro bisogni non sono compresi. Le bugie sorgono anche quando gli viene richiesto troppo in ambito scolare e morale. Gli si possono anche raccontare storie che mostrino la nostra posizione riguardo alle bugie.

• 6. I DIVERSI TIPI DI PERSONALITÀ E STRUMENTI PER RICONOSCERLI

Nel primo capitolo abbiamo già accennato a diversi approcci allo studio della personalità, vediamo ora in modo più approfondito le principali teorie sul costrutto della personalità che sono state sviluppate negli anni.

Teorie della personalità più rilevanti nella storia della Psicologia

La personalità, intesa come l'insieme relativamente stabile di tendenze e schemi di pensiero, elaborazione dell'informazione e comportamenti che ognuno di noi manifesta durante la propria vita e attraverso il tempo e le diverse situazioni che affronta, è uno dei principali aspetti che sono stati studiati ed analizzati da parte della Psicologia. Diverse correnti e autori hanno stabilito differenti teorie e modelli di personalità.

Di seguito spieghiamo brevemente alcune delle principali teorie della personalità che si basano su diversi approcci come i già citati nel primo capitolo: internalista, situazionista e interazionista. È importante tenere in considerazione che non tutte le seguenti teorie sono considerate ancora valide oggigiorno.

1. Teoria della personalità di Freud

La corrente psicodinamica ha teorizzato diverse teorie e modelli di personalità, tra le più note ci sono quelle del padre della psicoanalisi, Sigmund Freud. Per lui, il comportamento e la personalità sono vincolati all'esistenza di impulsi che abbiamo bisogno di portare a compimento e al conflitto che presuppone un bisogno di limitazione posto dalla realtà.

Nella prima topica Freud propone che la psiche umana è strutturata in tre sistemi, uno inconscio retto dalla ricerca della riduzione di tensioni e che funziona attraverso il principio di piacere, un altro conscio retto dalla percezione del mondo esterno e dalla logica del principio di realtà ed uno preconscio in cui i contenuti inconsci possono diventare consci e viceversa.

Nella seconda topica Freud determina una seconda grande struttura di personalità compatibile con la precedente in cui la psiche è configurata da tre istanze: l'Es, l'Io ed il Super Io. L'Es è la nostra parte più istintuale che regge e dirige l'energia interna sotto forma di impulsi e da cui nascono le altre strutture. L'Io sarebbe il risultato del confronto tra impulsi e pulsioni con la realtà, si tratta di una struttura mediatrice e in continuo conflitto che utilizza diversi meccanismi per sublimare o redirigere le energie provenienti dagli impulsi. Infine, il Super Io sarebbe la parte di personalità che si forma nella relazione con la società e che ha come funzione principale il giudizio e la censura di condotte e desideri non socialmente accettabili.

La personalità si costruisce durante lo sviluppo, in diverse fasi, in base ai conflitti esistenti tra le diverse istanze, strutture e i meccanismi di difesa applicati per cercare di risolverli.

2. Teoria della fenomenologia di Rogers

Da una prospettiva umanista-fenomenologica di approccio clinico, Carlo Rogers sostiene che ogni persona ha un suo campo fenomenologico o modo di vedere il mondo, in base alla condotta di tale percezione. La personalità deriverebbe dall'autoconcetto o simbolizzazione dell'esperienza della propria esistenza che sorge dall'integrazione della tendenza a migliorarsi con le necessità di sentire amore da parte del contesto e dall'autostima derivata dal contrasto tra condotta e la risposta ricevuta da parte del contesto. Se esistono contraddizioni si impiegano misure difensive con cui nascondere tale incongruenza.

3. Teoria dei costrutti personali di Kelly

Si tratta di un esempio di teoria della personalità derivata dal cognitivismo e dal costruttivismo. Per questo autore ogni persona ha la sua propria rappresentazione mentale della realtà e agisce in modo scientifico cercando di dare una spiegazione a ciò che lo circonda.

La personalità si costituisce come un sistema gerarchizzato di costrutti personali dicotomici che si influenzano tra loro e che formano una rete con elementi nucleari e periferici mediante i quali cerchiamo di dare risposte e di predire il futuro. Ciò che motiva la condotta e la creazione del sistema di costrutti è il tentativo di controllare il mezzo grazie alla capacità di predizione derivata da essi e il miglioramento di tale modello predittivo grazie all'esperienza.

4. Teoria della personalità ideografica di Allport

Allport considera che ogni individuo è unico nel senso che ha un'integrazione delle diverse caratteristiche differente dal resto delle persone, quindi siamo enti attivi che cerchiamo di raggiungere obiettivi.

Si tratta di uno degli autori che considera che la personalità lavora a partire da tratti, ossia elementi strutturali e stabili. Per lui cerchiamo di fare in modo che il nostro comportamento sia consistente e agiamo in modo da creare un sistema a partire dal quale possiamo rispondere in modo simile a stimolazioni diverse.

Quindi elaboriamo diversi modi di agire o di esprimere il comportamento che ci permettono di adattarci all'ambiente. Questi tratti hanno importanza diversa in funzione dell'influenza che hanno sulla nostra condotta, possono quindi essere cardinali, centrali o secondari.

5. Teoria della personalità di Cattell

La teoria della personalità di Raymond Cattell è una delle più famose e riconosciute teorie fattoriali della personalità. Strutturalista, correlazionale e internalista come Allport, partendo dall'analisi del lessico, considera che la personalità può intendersi come funzione di un insieme di tratti che si concepiscono come la tendenza a reagire in un determinato modo alla realtà.

Questi tratti possono essere categorizzati come temperamentali (gli elementi che ci indicano come comportarci), dinamici (la motivazione della condotta o atteggiamento) o attitudinali (le abilità del soggetto per portare a termine la condotta).

I più rilevanza sono quelli temperamentali, di cui Cattell estrarrà i 16 fattori primari della personalità che si misurano con il 16PF (e che si riferiscono ad espressione emotiva, intelligenza, stabilità, dominanza, impulsività, conformismo di gruppo, audacia, sensibilità, diffidenza, immaginazione, astuzia, colpevolezza, ribellione, autosufficienza, autocontrollo e tensione).

6. Teoria del Big Five di Costa e McCrae

Una delle grandi teorie fattoriali basate su un approccio di lessico (parte infatti dall'idea che i termini con cui spieghiamo il nostro comportamento permettono di stabilire, grazie ad un'analisi fattoriale, l'esistenza di raggruppamenti di caratteristiche o tratti di personalità). Il Big Five è uno dei modelli di personalità più famosi.

Attraverso l'analisi fattoriale questo modello indica l'esistenza di cinque grandi fattori di personalità che tutti abbiamo in piccola o gran misura: estroversione-introversione, gradevolezza-sgradevolezza, coscienziosità-

111

negligenza, nevroticismo-stabilità emotiva e apertura mentale-chiusura mentale. Ognuno di questi fattori è formato a sua volta da tratti che si relazionano tra loro e nell'insieme offrono una modalità di interpretazione del mondo e di reagire ad esso.

7. Modello di Cloninger

Questo modello contempla l'esistenza di elementi temperamentali, come la ricerca della novità, l'evitamento del danno, la dipendenza dalla ricompensa e la persistenza. Questi elementi di carattere biologico ed acquisito sono alla base dello schema comportamentale che applichiamo alla nostra vita e dipendono in gran misura dall'equilibrio neurochimico del cervello e dai neurotrasmettitori.

I 4 principali test di personalità

La psicometria ha come obiettivo principale la misurazione delle variabili che determinano il comportamento e il poter confrontare diversi individui in tali dimensioni. Nel contesto della Psicologia della Personalità ciò si manifesta nella quantificazione dei tratti di personalità per predirre la condotta in modo probabilistico.

Questi strumenti permettono di capire che tipo di personalità si ha e vengono solitamente utilizzati da psicologi o psichiatri ma non solo. Vediamo di seguito 4 dei principali tipo di test della personalità che vengono applicati soprattutto in ambito accademico, lavorativo e in psicologia clinica.

Tipi di test di personalità

Gli strumenti che si utilizzano per valutare la personalità vengono solitamente categorizzati in funzione dei criteri metodologici che ne hanno determinato la costruzione. In ogni caso, la maggior parte di tali prove si basa sulla misurazione numerica dei costrutti di personalità e nella comparazione dell'individuo valutato con gli altri.

In questo modo troviamo test di personalità razionali (oggi praticamente in disuso), empirici (che si basano su criteri esterni), fattoriali (in cui gli item si raggruppano per tratti) e quelli che combinano diversi dei criteri appena descritti come le prove create da Millon e Cloninger.

1. Relazionali e deduttivi

Si tratta di test che vengono costruiti a partire da elementi teoricamente relazionati alle variabili che si cerca di misurare. Per questo gli autori si basano su criteri ipotetici e si presuppone che esiste una correlazione tra essi e gli item, ossia le domande del test.

Nel 1914, poco dopo l'inizio della Prima Guerra Mondiale, lo psicologo statunitense Robert Sessions Woodworth creò la prima prova di valutazione della personalità, un test di screening psicopatologico che aveva l'obiettivo di identificare la predisposizione alla nevrosi nei soldati.

113

La prova era composta da 116 item ma era molto probabile mentire e falsificare i risultati, soprattutto per i soggetti che non volevano affrontare il servizio militare.

I test di personalità razionali sono i meno utilizzati oggigiorno, vennero di fatto sostituiti rapidamente da altri basati su criteri empirici e fattoriali che risultano essere più affidabili e validi.

2. Empirici

Gli strumenti di questa categoria si focalizzano sulla correlazione tra le risposte del soggetto agli item di valutazione e un criterio esterno determinato; così gli elementi del test risultano utili per predire la dimensione rilevante.

In questi casi si valuta un gruppo di soggetti che mostrano determinate caratteristiche (come un disturbo psicologico) e si analizzano gli item per scegliere i più rappresentativi della variabile in esame. A partire da ciò si costruisce la prova definitiva che si applica ad altri soggetti per valutare lo stesso costrutto.

Il test di personalità empirico più noto è il Minnesota Multiphasic Personality Inventory (MMPI), sviluppato da Starke R. Hathaway e Charnley McKinley nel 1942. Si utilizza principalmente per valutare la presenza di tratti di personalità rilevanti in psicopatologia come la paranoia, la depressione e l'introversione sociale.

3. Fattoriali o test di tratti

Le prove fattoriali della personalità sono quelle che hanno avuto maggiore successo. Questi test valutano diversi fattori, ossia insiemi di item correlati tra loro; per esempio il fattore "cordialità" sarebbe composto da elementi che valutano aspetti come la franchezza, la modestia, l'altruismo o la sensibilità al bisogno degli altri.

Il Questionario 16PF sviluppato da Cattell è stato uno dei test della personalità più utilizzato per anni. Valuta 16 fattori di primo ordine che si raggruppano in 4 più ampi.

4. Misti (Con criteri combinati)

Certi test di personalità non rientrano in nessuna delle categorie precedenti ma sono costruiti a partire da una combinazione di criteri. Una delle prove che meglio esemplifica questo tipo di metodologia è il MCMI (Millon Clinical Inventario Multiassiale) da cui derivano diversi test.

L'MCMI fu costruito mediante l'uso dei tre criteri spiegati in precedenza. L'autore si basò su una teoria propria per scegliere un gran numero di item (strategia razionale), poi ne selezionò una piccola parte comparandoli a criteri esterni (strategia empirica) e infine identificò le correlazioni tra elementi (strategia fattoriale).

● CONCLUSIONE

In questo lungo viaggio in cui abbiamo approfondito alcuni aspetti della Psicologia ci siamo ritrovati ad analizzare approcci e costrutti che è solita indagare come le emozioni, la personalità e la comunicazione non verbale.

Avrai intuito che per ogni concetto si potrebbero scrivere un'infinità di testi e approfondirli analizzando come diversi studi e approcci hanno deciso di indagarlo e che conclusioni hanno tratto.

Ciò che vogliamo quindi che ti sia chiaro è che non esistono formule magiche né teorie inconfutabili e precisissime per interpretare in modo univoco il linguaggio non verbale e neppure trucchi e segreti per non avere alcun dubbio del fatto che qualcuno ti sta mentendo, ma possiamo continuare ad imparare, sperimentare e migliorarci.

La Psicologia è una scienza interessante e davvero ampia e lo studio sulle modalità di analisi delle persone un aspetto che è ben lungi dall'essersi esaurito, nonostante il gran numero di studi condotti al riguardo.

Nel testo abbiamo cercato di fornirti informazioni e spunti di riflessione per sapere orientarti in questa tematica, ci auguriamo di averti incuriosito e fatto venire voglia di saperne di più.

P.S.: inquadra il seguente QR Code per scaricare un libro **gratuito** intitolato *"I 7 Segreti della Comunicazione Persuasiva".*

Una breve guida pratica in grado di darti le conoscenze necessarie per migliorare le tue abilità comunicative, perfettamente complementare al libro che stai per leggere.

Scaricarla è semplicissimo: prendi il tuo smartphone e inquadra questo codice QR con la fotocamera.

• ALTRI LIBRI DI ROBERTO MORELLI

IMPARA COME EINSTEIN: Segreti e tecniche per imparare qualsiasi cosa, sviluppare la creatività e scoprire il Genio che è in te

Albert Einstein era considerato un "fallito" nel lontano 1895...

...E grazie a questo libro, stai per scoprire le stesse strategie che ha utilizzato per imparare più velocemente, memorizzare di più e diventare un genio creativo.

Parola chiave: diventare.

Ti sei mai sentito così stressato, o semplicemente distratto, da non riuscire nemmeno a concentrarti sul tuo studio o lavoro?

In "Impara come Einstein", scoprirai come un comune ragazzo rifiutato dall'università, deriso da professori e scienziati, confinato per anni a lavori di basso livello... si sia trasformato nel giro di pochi mesi nel genio folle e creativo che tutti noi conosciamo.

Questo libro ti guiderà attraverso le tecniche che Einstein ha utilizzato per concentrarsi meglio, assorbire e memorizzare più informazioni, ottenere una mente chiara e limpida, e prendersi la sua rivincita nella vita.

All'interno di "Impara come Einstein", scoprirai:

-   I segreti per imparare qualsiasi cosa, a qualunque età

- Come migliorare la tua capacità di concentrazione e focus, nel giro di qualche ora...

- Come raddoppiare la tua velocità di lettura

- Come risolvere i problemi usando la creatività, anche se non ti sei mai considerato creativo...

- Come apprendere rapidamente e risparmiare un sacco di tempo

- Come assorbire centinaia di dati e informazioni e bloccarli nella memoria a lungo termine: non te li dimenticherai facilmente...

- E molto altro ancora!

Dallo sviluppare una creatività invidiabile al migliorare la tua tecnica di lettura, questo libro ti darà gli strumenti necessari per superare le sfide della vita quotidiana e lavorativa.

Con i giusti consigli, esercizi, informazioni ed astuzie, chiunque può allenare la capacità di pensare fuori dagli schemi, trovare soluzioni a qualsiasi problema e avere successo nella vita.

Per saperne di più, inquadra il seguente codice QR con la fotocamera del tuo smartphone:

Come fa Sherlock Holmes a risolvere i casi più complicati solo grazie all'osservazione e al ragionamento?

Qual è il suo segreto?

Grazie a questo libro, stai per scoprire le stesse strategie che Sherlock utilizza per leggere nella mente delle persone, memorizzare qualsiasi cosa e risolvere i misteri più indecifrabili.

In "Ragiona come Sherlock", scoprirai come anche noi, con un po' di esercizio, possiamo potenziare il nostro spirito di osservazione e le capacità decisionali in ogni ambito della vita, imparando dal brillante detective che tutti noi conosciamo.

Questo libro ti guiderà attraverso le tecniche di osservazione e deduzione che Sherlock utilizza per assorbire e memorizzare più informazioni, ottenere una mente lucida, e avere dei veri e propri lampi di genio. Questo libro ti darà un paio di occhiali che, se indossati, ti faranno vedere il mondo in modo chiaro e accurato. Immagina cosa potresti fare con questo super potere...

All'interno di "Ragiona come Sherlock", scoprirai:

- I segreti per memorizzare qualsiasi cosa, a qualunque età

- Come migliorare la tua capacità di problem-solving, nel giro di qualche ora...

- Come migliorare la tua capacità di osservazione

- Come risolvere i problemi ragionando con il metodo deduttivo, anche se non ti sei mai considerato particolarmente intelligente...

- Come riconoscere i segnali di inganno e menzogna...

- Come assorbire centinaia di dati e informazioni e bloccarli nella memoria a lungo termine: non te li dimenticherai facilmente...

- Come imparare a ragionare fuori dagli schemi

E molto altro ancora!

Dallo sviluppare una capacità di ragionamento invidiabile all'affilare il tuo istinto, questo libro ti darà gli strumenti necessari per superare le sfide della vita quotidiana e lavorativa.

Con i giusti consigli, esercizi, informazioni ed astuzie, chiunque può allenare la capacità di pensare fuori dagli schemi, trovare soluzioni a qualsiasi problema e avere successo nella vita.

Non perdere tempo e inquadra questo codice per imparare a ragionare seguendo un metodo semplice ed efficace!

Hai mai provato a dire una bugia?

Bhe... una cosa è certa.

Sicuramente, mentre la dicevi, i movimenti del tuo corpo e le micro-espressioni del tuo viso stavano lasciando trasparire ciò che veramente stavi pensando nella tua mente.

Ma non preoccuparti: TUTTI intorno a te fanno lo stesso, TUTTI i giorni.

Sta a te saper leggere il loro linguaggio del corpo, poiché è lì che si nasconde la verità. La gente può mentire con le proprie parole, inventare storie, nascondere segreti... ma il corpo non mente mai.

Dopo aver letto questa breve guida, nessuno riuscirà ad ingannarti. Saprai leggere nella loro mente con facilità e capire al volo le loro intenzioni prima ancora che provino a mentirti e a manipolarti.

Grazie a numerose tecniche, trucchi ed esercizi potrai utilizzare a tuo vantaggio il potere del linguaggio del corpo.

Ecco cosa scoprirai all'interno di questo libro:

- Come convincere gli altri a fidarsi di te o delle tue idee, senza sforzo

- Come conoscere cosa pensa il tuo nemico, così da poter agire di conseguenza

- Come migliorare il tuo carisma e la fiducia in te stesso

- Quali posizioni e movimenti dovresti assolutamente evitare durante un colloquio di lavoro o un meeting

- Come riconoscere in 2 secondi se qualcuno ti sta mentendo...

- Come capire cosa pensano gli altri di te, semplicemente osservando il loro corpo

- La parte del corpo che non mente mai: prestaci sempre attenzione...

- Perchè le donne si sistemano i capelli e gli uomini si aggiustano l'orologio mentre ti parlano

- A cosa fare attenzione durante le tue conversazioni...

Tutto questo è possibile. Per farlo, ti serve saper leggere e interpretare le persone. Il linguaggio del corpo ti aiuta proprio in questo: è la chiave per capire come funzioniamo noi esseri umani. Gestione degli spazi, movimenti del corpo, grattamenti, espressioni facciali, gestione delle distanze con l'interlocutore sono solo alcuni degli esempi di come comunichiamo attraverso tutto ciò che è "non verbale".

Con questo libro hai l'opportunità di imparare a leggere la mente delle persone, analizzare le loro espressioni, comprendere al volo le loro intenzioni, così da poterti difendere e reagire. I molti trucchi pratici ed esercizi qui contenuti ti aiuteranno a diventare una persona migliore.

A chi è rivolto questo libro?

A tutti coloro che per passione o lavoro hanno necessità di parlare di fronte ad un pubblico, relazionarsi con altre persone e raggiungere obiettivi ambiziosi. Che tu sia un insegnante, un public speaker, un coach, un avvocato, un allenatore sportivo, un imprenditore, un dirigente d'azienda, un venditore... sicuramente troverai spunti interessanti per ottenere un incredibile vantaggio competitivo e raggiungere il massimo del tuo potenziale.

Quindi non perdere tempo e inizia subito a usare il potere del linguaggio del corpo a tuo vantaggio!

Inquadra questo codice QR con la fotocamera del tuo smartphone per saperne di più:

CPSIA information can be obtained
at www.ICGtesting.com
Printed in the USA
LVHW011820030621
689279LV00010B/1232